Schremmer, A.; e(

Taschenbuch auf das Kriegsjahr 1914 15

für Deutschland und Oesterreich-Ungarn

Schremmer, A.; ed

Taschenbuch auf das Kriegsjahr 1914 15

für Deutschland und Oesterreich-Ungarn

Inktank publishing, 2018

www.inktank-publishing.com

ISBN/EAN: 9783747792506

All rights reserved

Taschenbuch auf das Kriegsjahr 1914/15

für Deutschland und Oesterreich=Ungarn

Herausgegeben von A. Schremmer. Mit=
arbeiter: Geheimrat Prof. Karl Lamprecht,
Hermann Bahr, Dora Hohlfeld, Ricarda
Huch, Rudolf Huch, E. G. Kolbenheyer,
Ernst Lissauer, Max Ludwig, Walter von
Molo, Richard Schaukal

Federzeichnungen von Wilhelm Thöny
Einband von F. H. Ehmcke

Erschienen im Dezember
1 * 9 * 1 * 4
bei Hugo Schmidt Verlag in München

Es geht ein Komet über die Erde mit düster brennendem, lohenden Schein. Was er sieht und aufzeigt, ist alles, wessen die Menschen fähig sind, nichts ist, was fehlte, das Innerste wird zum Äußersten im Hingerissensein der Herzen und Hirne, muß sich bewähren oder vergehen — im Kleinen wie im Großen. Und aller Hoffnung ist, daß wir uns bewähren, Deutschland und Österreich, die Staaten deutscher Kultur, die Zentralmächte, das Herz der Welt, die so unerhörte Zentripetalkräfte ringsum abzuwehren haben. Nicht alles Gold glänzt, und falscher Schimmer hängt an mancher Schlacke; doch unter dem Schein des blutigen Kometen wird das Erkennen, auf allen Seiten und so beglückend oder schmerzlich es sei, Welttatsache werden.

Alle stehen wir unter dem gewaltigen Bann des apokalyptischen Gestirns, beklommen trotz aller Siegesfreude und Zuversicht. Und alle blicken wir, sehnsüchtig trotz aller mannhaften Geduld, in bittender Hoffnung auf, daß diese drohende Glut beginne, zum mild und stark strahlenden Fixstern sich zu wandeln.

Jeder von uns ist ein Teil unserer Zeit, ein Teil ihres Ausdruckes. Sie hat uns auch gewandelt, wie sie uns wollte. Nicht das Getöse der Schlachten allein, nicht das letzte Flüstern geliebter Namen auf den Feldern des Todes, nicht das Dankgebet auf den Äckern des Sieges sind allein die Stimmen, die den Ton, den Ausdruck unserer Zeit bestimmen, wenn sie auch die erhabensten und teuersten sind: all unser Denken und Sprechen, unser Wollen und Tun ist mit ein Teil des großen Ganzen.

Wir warten geduldig dessen, der, wenn seine Stunde gekommen ist, uns aus seinem Werk die

7

Stimmen erklingen läßt, die heute das Lied unserer Zeit singen, der uns, unseren Nachkommen, der ganzen Menschheit dieses Lied anstimmt mit echten Tönen.

Wir Heutige inmitten des großen Geschehens vermögen nur Zeichen und Erinnerungen zu sammeln. Und zu diesen soll dieses Buch gehören. Auf seine, notwendig begrenzte Weise soll es ein bescheidener Teil sein in der Reihe der großen und kleinen Dokumente des ehernen Jahres 1914.

Es haben sich manche ferngehalten, die hier nicht hätten fehlen dürfen und nun doch wohl vermißt werden. Dennoch aber verdient unser Buch freundliche Aufnahme und Zustimmung, und wenn sie nicht versagt werden, sind Herausgeber und Mitarbeiter des Gelingens froh. Die Form des literarischen Almanachs schien die passendste und schönste. Sie ermöglichte es, dem Buch eine reizvolle künstlerische Form zu geben. A. Sch.

Inhalt

Die Monatsbilder von Wilhem Thöny stellen dar:

Juli: Serajewo-Ovationen vor der österreichisch-ungarischen Gesandtschaft in München in der Nacht des 25. Juli — Sonnige friedliche Sommerlandschaft — Beschießung Belgrads durch die Donaumonitore — Die Serben sprengen die Brücke Semlin-Belgrad, als eben österr.-ungar. Truppen sich auf der Brücke im Anmarsch befinden.

August: Verlesung der deutschen Mobilmachungsorder — Ausmarsch deutscher Truppen — Kampfbild aus der Vogesenschlacht — Die deutsche Fahne auf einem Fort des eroberten Lüttich — Der österr.-ungar. kleine geschützte Kreuzer „Zenta" sinkt nach mutigem Kampf mit einer vielfachen französischen Übermacht in der Adria.

September: Sieg der Österreicher bei Krasnik — Deutsche Truppen ziehen in Maubeuge ein — Die Russen in den masurischen Seen — U 9 — Sturm der Österreicher gegen die Serben in den Tagen der Vernichtung der Timok-Division.

Oktober: Vor Przemysl — Ein Zeppelin über Ostende — Nächtliche Beschießung Antwerpens — S. M. S. „Emden" — Die heldenhafte Verteidigung Tsingtaus.

9

November: Sieg der Türken im Kaukasus — Die Buren gegen die Engländer — Der deutsche Seesieg bei Santa Maria (Chile) — Kampf im überschwemmten Nsergebiet

Anmerkungen: Sämtliche literarischen Beiträge sowie die Zeichnungen von Wilhelm Thöny und Professor F. H. Ehmcke (Einband) sind Original-Arbeiten. Die literarischen Arbeiten sind zu einem großen Teil für das „Taschenbuch" geschrieben worden, die anderen sind hier zum erstenmal veröffentlicht.

Die beiden Gedichte „Aus der deutschen Geschichte" von Ernst Lissauer gehören zu einem Zyklus, der später erscheinen soll.

Max Ludwigs „Belagerung" ist das Vorspiel zu einem noch nicht beendeten Reformations-Drama „Graf Turn".

„Klassischer Sylvester" von Walter von Molo ist ein Studienblatt zum vierten Band seiner Romanfolge „Schiller", der unter dem Titel „Den Sternen zu" im Herbst 1915 erscheinen soll.

Richard Schaukals Sonnette „Deutschen Geistes ein Hauch" sind Teile eines Zyklus, der im nächsten Frühjahr erscheinen wird.

10

Kriegs-Tagebuch

Juni

28.: Ermordung des Erzherzogs Franz Ferdinand und seiner Gattin in Serajevo

30.: Kundgebungen und Ausschreitungen gegen die Serben in Bosnien, Kroatien und Wien

Juli

1.: Die österreichische Regierung beschließt, diplomatische Schritte in Belgrad zu unternehmen, damit Serbien die Fäden der Verschwörung weiterverfolgt — Die serbische Regierung erklärt sich für das Attentat von Serajevo nicht verantwortlich — Demonstrationen gegen Serbien in Österreich

6.: Es entsteht die Meinung, daß der Ex-Kronprinz Georg von Serbien dem Attentat in Serajevo nicht fernstehen soll

7.: Der gemeinsame Ministerrat in Wien beschließt ein energisches Vorgehen gegen die großserbische Propaganda in Österreich

10.: In Wien hält man einen Konflikt mit Serbien nicht ausgeschlossen — Die Untersuchung des Attentates von Serajevo scheint mindestens eine Mitwisserschaft Rußlands aufzuweisen

23.: Österreich-Ungarns Ultimatum an Serbien

24.: Serbien beginnt mit der Mobilisierung — Rußland erklärt, in einem österreichisch-serbischen Konflikt nicht indifferent bleiben zu können

25.: Serbiens ungenügende Antwort und Abbruch der diplomatischen Beziehungen zwischen Österreich-Ungarn und Serbien — Begeisterung in Österreich und Ungarn — Spontane Straßenkundgebungen für Österreich in Deutschland — Der Zar unterzeichnet endgültig die Mobilmachungsorder — Rußland beginnt zu mobilisieren

26.: Österreich erklärt in St. Petersburg wiederholt, daß es keine Eroberungspläne habe, sondern nur Ruhe an seinen Grenzen haben wolle — In Berlin laufen die ersten Meldungen über russische Mobilmachungen ein — England beginnt seine Rolle als Friedensvermittler

27.: In Rußland wird das Gouvernement Kowno in Kriegszustand erklärt und zugleich ehrenwörtlich versichert, daß noch keine Mobilmachungsorder ergangen sei

28.: Österreich erklärt Serbien den Krieg — Begeisterung in ganz Österreich-Ungarn, alle Nationen erkennen ihre Pflicht

13

wird eine ruffifche Kavalleriebrigade von deutfchen
Truppen zurückgeworfen,
acht ruffifche Geschütze werden erbeutet — Die Öster-
reicher rücken in Rußland
vor und befetzen mehrere
Orte — Die Engländer be-
fetzen Lome, die Hauptstadt
von Togo — Die Ruffen zer-
ftören irrtümlich ihren Ha-
fenplatz Hangö, um den fin-
nischen Meerbufen zu sperren — Die Montenegriner
brechen mit 4000 Mann in
die Herzegowina ein und
müffen mit Verluften wie-
der zurück — Der öfterrei-
chifche Kreuzer „Szigetvar"
zerftört die montenegrini-
fche Funkenftation Antivari
— Ausschreitungen gegen
Deutfche in Paris
9.: Die für die Türkei in England im Bau befindlichen
Kriegsschiffe „Sultan Os-
man" und „Reschaddije"
werden in die englifche Ma-
rine eingereiht
10.: Gefecht bei Mülhaufen
i. Elf., der erfte Sieg gegen
Frankreich
11.: Serbien erklärt Deutfchland den Krieg — Abbruch
der diplomatifchen Bezie-
hungen zwifchen Österreich-
Ungarn und Frankreich —
Gefecht der Bayern bei La-
garde
12.: Ruffifche Kavallerie
von den Österreichern bei
Brody auf die Grenze zu-
16

rückgeworfen — Gefecht
der Bayern bei Badonvil-
ler — Montenegro erklärt
Deutfchland den Krieg
13.: Deutfchland richtet War-
nungen an Belgien und
Frankreich wegen der Be-
handlung der Deutfchen,
wegen der Franktireurs
und deren Graufamkeiten
gegen deutfche Verwundete
— England erklärt Öster-
reich den Krieg — Die englifche Mobilmachung ift be-
endet — Der ägyptifche
Ministerrat erklärt Ägyp-
ten im Kriegszuftand mit
Deutfchland und vertraut
das Land dem englifchen
Schutz an — Die Österrei-
cher rücken in Ruffifch-Po-
len weiter vor — Belgien
lehnt ein neues Angebot
Deutfchlands zu einem fried-
lichen Abkommen ab mit
dem Hinweis auf feine Neutralität
14.: Zwifchen Rumänien, Bul-
garien und der Türkei ift
ein Übereinkommen getrof-
fen worden — Spanien er-
klärt feine Neutralität —
Die Österreicher rücken in
Serbien ein und befetzen
nach heftigem Kampf das
schwer zu haltende Schab-
batz zum erftenmal — Im
Elfaß haben in manchen
Orten und Städten fran-
zofenfreundliche Einwoh-
ner auf deutfche Truppen
geschoffen — Die Deut-

schen verlieren einige Geschütze und Maschinengewehre durch einen französischen Überfall im Schirmeck-Paß (Vogesen) — Russische Jäger, Ulanen und Artillerie, bis Zalocze in Galizien vorgerückt, werden von einer österreichischen Landwehrkompagnie, von Ulanen und Dragonern in die Flucht getrieben — Siegreiche Kämpfe der Österreicher in Serbien bei Losniza und Lesniza und bei Schabatz

15.: In Deutschland mit Ausnahme Bayerns wird der Landsturm ersten und zweiten Aufgebots aufgerufen — Kleinere siegreiche Gefechte der Deutschen an der ostpreußischen Grenze — Italien läßt in Berlin dem Gerücht von seiner Deutschland und Österreich-Ungarn gegenüber angeblich unfreundlichen Haltung widersprechen

16.: Der Deutsche Kaiser verläßt Berlin in der Richtung Mainz — Die Österreicher dringen westlich der Weichsel in Russisch-Polen vor — Der österreichische kleine Kreuzer „Zenta" sinkt an der montenegrinischen Küste nach mutigem Kampf mit der französischen Flotte

17.: Die Serben sind nach den Kämpfen vom 14. August in der Richtung auf Valje-

vo zurückgeworfen worden — Die Österreicher bombardieren die montenegrinischen Stellungen auf dem Lovcen

18.: Das deutsche Unterseeboot U 15 wird im Kampf mit englischen Schiffen vernichtet — Siegreiches Gefecht der Deutschen bei Stallupönen (Ostpr.), 3000 russische Gefangene, 6 Maschinengewehre erbeutet — Die Türkei hat von Deutschland die in Konstantinopel eingelaufenen Kreuzer „Goeben" und „Breslau" um achtzig Millionen Mark angekauft — Die belgische Königsfamilie und die belgische Regierung übersiedeln nach Antwerpen

19.: Schwere Verluste der französischen 5. Kavallerie-Division bei Pervez, nördlich Namur — Bayrische und badische Truppen schlugen bei Weiler (Schlettstadt) die französische 55. Infanterie-Brigade und warfen sie über die Vogesen zurück — Japans Ultimatum an Deutschland (bedingungslose Übergabe Kiautschaus bis 15. September) — In Bayern werden Teile des ausgebildeten Landsturms zweiten Aufgebotes einberufen

20.: Unter Führung des Kronprinzen von Bayern haben Truppen aller deutschen

den nach vorläufiger Schätzung 30 000 Gefangene gemacht. Die von drei Seiten gefaßten Russen wurden in die Seen und Sümpfe Masurens geworfen — Deutsche Truppen sind bei Compiègne, 80 Kilometer von Paris, angekommen — Der erste deutsche Flieger über Paris

31.: Ein Ausfall der belgischen Armee aus Antwerpen wird von den Deutschen bei Mecheln zurückgeschlagen — Die Anmeldungen der Kriegsfreiwilligen haben in Deutschland schon die zweite Million überschritten — Die Zahl der bei Tannenberg gefangenen Russen ist nun auf 70 000 angewachsen, 150 000 in den masurischen Sümpfen und Seen umgekommen; im ganzen sind 6 Armeekorps geschlagen, davon 3½ vernichtet — Die französische Festung Givet fällt

September

1.: Die französischen Forts Les Ayvelles und Montmedy sind gefallen; die deutschen Armeen Kluck, Bülow, Hausen und Herzog Albrecht rücken gegen die Aisne vor, die des deutschen Kronprinzen gegen und über die Maas — Die rus-

sische Rennenkampf-Armee, die bei Insterburg stand, tritt den schleunigen Rückzug an — Erfolgreiche Kämpfe der österreichischen Dankl-Armee bei Zamosc und Tomaszow in Russisch-Polen, etwa 12 000 Gefangene — Die Schlacht in Galizien wird günstig beurteilt, trotz der großen russischen Übermacht — Die Engländer besetzen Apia in Deutsch-Samoa — In Belgien werden alle Uhren nach deutscher Zeit gestellt

2.: Zwischen Reims und Verdun wurden die mittleren Heeresgruppen Frankreichs, etwa zehn Armeekorps, zurückgeworfen — Sieg der österreichischen Armee Auffenberg zwischen Zamosc und Komarow in Russisch-Polen, 30 000 Gefangene — Dum-Dum-Geschosse bei Franzosen und Engländern

3.: Die französische Regierung verläßt Paris und siedelt nach Bordeaux über

4.: Deutsche Truppen besetzen Reims ohne Kampf

5.: An der englischen Küste bei Tyne wird der englische Kreuzer „Pathfinder" vom deutschen Unterseeboot „U 21" zum Sinken gebracht — Von Maubeuge sind zwei Forts gefallen — Die Österreicher haben Lemberg geräumt, die Russen folgen langsam — Die Zahl der rus-

20

fischen Gefangenen aus der Schlacht bei Tannenberg beträgt nunmehr 90000 — Amtlich wird über zahllose Schandtaten und Grausamkeiten berichtet, die von den Ruffen in Ostpreußen verübt wurden

6.: Die Regierungen von England, Frankreich und Rußland verpflichten sich gegenseitig, im Laufe des Krieges nicht einzeln Frieden zu schließen

7.: Maubeuge hat kapituliert, 40000 Gefangene, 400 Geschütze erbeutet — Der englische große Kreuzer „Warrior" sinkt in der Adria als Opfer einer österreichischen Seemine — Die Serben versuchen bei Mitrovitza in Slawonien einzubrechen und werden mit großen Verlusten zurückgeworfen, die Reste der Timok-Division wurden aufgerieben

8.: In Belgien dringen die Deutschen allmählich gegen die Küste vor — Kaiser Wilhelm protestiert in einem Telegramm an Präsident Wilson gegen die Kriegführung der Gegner — Das englische Publikum ist enttäuscht, daß die deutsche Flotte noch nicht vernichtet ist — Bei Paris ist eine Schlacht im Gange

9.: Bei Lemberg hat durch erneutes offensives Vor-

gehen der Österreicher eine neue Schlacht begonnen

10.: Die Armee des deutschen Kronprinzen hat die befestigten französischen Stellungen südwestlich Verdun genommen — Die Deutschen kämpfen östlich Paris zwischen Meaux und Montmirail gegen überlegene französische Kräfte; der rechte Flügel wurde zurückgenommen — Hindenburg hat den noch in Ostpreußen befindlichen Teil der Wilna-Armee geschlagen, der Feind flüchtet gegen den Njemen — Der deutsche Kreuzer „Emden" erscheint im Golf von Bengalen und beginnt seine erfolgreichen Kaperfahrten gegen feindliche Dampfer

11.: Das 22. russische Armeekorps ist bei dem Versuch, in den Kampf in Ostpreußen einzugreifen, bei Lyck zurückgeschlagen worden — Die Türkei hebt die „Kapitulationen" auf — Bis jetzt sind in Deutschland rund 260000 Kriegsgefangene untergebracht (Franzosen: 1680 Offiziere, 126700 Mann; Russen: 1830 Offiziere, 91400 Mann; Belgier: 400 Offiziere, 30200 Mann; Engländer: 160 Offiziere, 7350 Mann)

12.: Belgrad wird wieder beschossen — Die Engländer verhindern mit Willkür und Rücksichtslosigkeit jede Ver-

21

bindung Ägyptens mit Europa — Präsident Wilson hat einen ersten Versuch zur Friedensvermittlung gemacht — In den letzten Tagen haben erbitterte Kämpfe im Oberelsaß stattgefunden (Sennheim, Altthann, Thann, Bischweiler, Moosch) — Die Japaner bemächtigen sich des Bahnhofs in Kiautschou

13.: Die russische Wilna-Armee flieht in voller Auflösung aus Ostpreußen, die verfolgenden Deutschen haben die Grenze bereits überschritten; bisher etwa 30000 Gefangene, 150 Geschütze — Bei Lemberg (Grodek) seit fünf Tagen heftige Kämpfe, die Österreicher drängten in mühseligem Ringen den Feind langsam zurück und machten dabei 10000 Gefangene. Ungünstige Verschiebungen in Nordgalizien, wo sich zwischen die Armee Auffenberg und die bei Lemberg eine starke russische Armee einzuschieben drohte, machen trotz der Erfolge das Zurückgehen der Österreicher bei Lemberg nötig — Vor Lublin traten der österreichischen Armee Dankl immer stärkere feindliche Massen entgegen, die ein Zurückgehen der Armee nötig machten — Der deutsche kleine Kreuzer „Hela" wird durch ein feindliches

Unterseeboot zum Sinken gebracht — Die Engländer besetzen Herbertshöhe im Bismarck-Archipel — Präsident Poincaré erklärt in einem Telegramm an Präsidenten Wilson die deutsche Behauptung, die Franzosen verwendeten Dum-Dum-Geschosse, für eine Verleumdung; auf die Anregung amerikanischer Regierungsorgane, eine Kommission mit der Feststellung der Tatsachen zu betrauen, weigert er sich aber einzugehen

14.: Die Deutschen haben sich von der Marne bei Paris auf die Aisne-Linie zurückgezogen. Bei Soiffons heftige Kämpfe — Die österreichische Armee in Galizien zieht sich in eine Defensivstellung zurück, um in dieser als festes Bollwerk gegen die russische Überflutung den Feind zu erwarten — Im Senat in Kapstadt teilt Botha den Beschluß der Regierung mit, auf Wunsch der (englischen) Reichsregierung Teile von (Deutsch-) Südwestafrika „aus strategischen Rücksichten" zu besetzen; General Delarey stimmt ihm bei; die Engländer sandten Truppen nach Kapstadt — Der deutsche Hilfskreuzer „Cap Trafalgar" geht nach heftigem Kampf mit dem englischen Hilfskreuzer „Carmania"

22

an der brasilianischen Küste
unter

15.: Das russische Gouvernement Suwalki wird unter deutsche Verwaltung gestellt — Unter den von den Österreichern bei Lublin gefangenen Russen befanden sich Baschkiren und Tungusen aus Ostsibirien. Daraus und aus anderen Umständen ist erwiesen, daß Rußland sehr früh, vielleicht schon im Mai, seine Vorbereitungen traf und die asiatischen Korps mobilisiert hat — Das Reuter-Bureau meldet einige kleine Gefechte in Deutsch-Südwest-Afrika und Deutsch-Ost-Afrika, die für die Engländer Erfolge gebracht haben sollen — Die Serben geben ihre bisherigen Verluste auf 25000 Mann an — Die englische Marinemission in Konstantinopel demissioniert — Man erfährt, daß Frankreich schon vor zwei Monaten in französischen Grenzorten durch Zirkulare an die Bürgermeister zur Bildung von Bürgerwehren, die mit Schußwaffen auszurüsten sind, aufgefordert hat — — Englische Reden: Churchill sagt, wenn das englische Volk wolle, könne die englische Armee im Frühjahr 1915 die volle Stärke von 25 Armeekorps erreicht

haben. Dies sei derselbe große Krieg, der bereits im Jahre 1909 hätte durchgeführt werden sollen, wenn nicht Rußland den deutschen Drohungen, sich erniedrigend, nachgegeben hätte. Lord Curzon sagt, er hoffe es zu erleben, daß die Lanzen bengalischer Reiter auf den Straßen Berlins funkeln und dunkelhäutige Gurkhas es sich in den Potsdamer Parks bequem machen. Lord Beresford behauptet, der Friede werde in Berlin geschlossen — Die Petersburger „Rjetsch" bringt eine Aufforderung an Italien, sich doch endlich der Triple-Entente anzuschließen. Einen etwa mangelnden diplomatischen Vorwand würden die Ententemächte gerne suchen helfen

16: Japan hat sich verpflichtet, England Truppenhilfe in Indien zu leisten

17.: Im Osten die 4. finnische Schützenbrigade bei Augustowo geschlagen — In den Kämpfen in Frankreich noch keine Entscheidung — Die Serben werden bei Pancsowa über die Donau gelassen, dann von den Österreichern mit dem Bajonett angegriffen und über den Haufen geworfen; der über die Donau fliehende Rest ist klein — Das französische 13. und 4. Armeekorps süd-

23

lich Noyon entscheidend geschlagen; Chateau Brimond
bei Reims erstürmt

18.: Der englische Politiker
Ponsonby veröffentlicht in
den „Times" dreizehn Fra-
gen und Antworten, die eine
Anklage der Politik Eng-
lands darstellen

19.: In Frankreich ist das eng-
lisch-französische Heer auf
der ganzen Schlachtfront in
die Verteidigung gedrängt
worden — Die französische
Flotte, ungefähr 40 Ein-
heiten stark, beschießt die
Forts und die Einfahrt der
Bocche di Cattaro, Erfolg:
ein Verwundeter. Sie steu-
ert darauf nach Lissa und
beschießt die Semaphor-
station und den Leuchtturm,
Erfolg: zwei Verwundete.
Sie zeichnet sich ferner dadurch aus, daß in Pelagosa
gelandete Matrosen das
Trinkwasser auf unflätige
Art verunreinigen und dem
armen Leuchtturmwärter
den wenigen Proviant und
Wäschestücke wegnehmen.
Dann dampfte sie nach
Südwesten ab

20.: Erste Beschießung von
Reims. Die Franzosen hat-
ten Geschütze hinter der Kathedrale und auf dem Turm
einen Beobachtungsposten
aufgestellt, was die Beschießung der Kathedrale not-
wendig machte — Rumä-
nien beschließt, seine Un-

24

parteilichkeit nach wie vor
unbedingt aufrecht zu erhalten — Der deutsche Kreu-
zer „Königsberg" versenkt
den englischen Kreuzer „Pe-
gasus" vor Sansibar —
Vom 17. bis heute siegreiche
Kämpfe der Deutschen bei
Löwen und Aerschot gegen
das aus Antwerpen aus-
fallende belgische Heer

21.: Im Angriff auf die
Sperrfortlinie südlich Verdun wurde der von den
Franzosen fest verteidigte
Ostrand der Côte Lorraine
siegreich überschritten —
Die Japaner nähern sich
langsam den Befestigungen
von Tsingtau

22.: Das deutsche Unterseeboot „U9" torpediert in der
Nordsee die englischen Panzerkreuzer „Aboukir", „Ho-
gue" und „Cressy", die alle
drei sinken — Unter den
Buren entstand eine Bewe-
gung gegen die von Eng-
land gewünschten Angriffe
auf Deutsch-Südwestafrika
— Die englische Marine-
mission in Konstantinopel
erhält Befehl, nach Sebastopol zu gehen

23.: Die Deutschen eröffnen
mit Erfolg schweres Artil-
leriefeuer gegen die französischen Sperrforts Tro-
yon, Les Paroches, Camp des
Romains und Liouville —
Die Franzosen und Eng-
länder begannen ihre Ver-

suche, den rechten deutschen Flügel zu umfassen — Die Russen beginnen die erste Beschießung Przemysls — Die Österreicher haben in Serbien die Höhen westlich Krupanj nach tagelangen erbitterten Kämpfen genommen — Die englische Regierung gestattet dem Khedive von Ägypten nicht, nach Kairo zurückzukehren — Die erste deutsche Kriegsanleihe hat 4 Milliarden 461 Millionen Mark ergeben

24.: Vom westlichen Kriegsschauplatz keine wesentlichen Ereignisse. Es beginnt der wochenlange Schanzenkrieg an der Aisne — Den in Slawonien eingedrungenen Serbien, etwa 30000 Mann, haben die österreichischen Truppen, die von zwei Seiten heranrückten, bei Pankova und Alt-Pazua eine fürchterliche Niederlage beigebracht, auch auf dem Rückzug ertranken noch viele in der Save — Die Serben sollen bis jetzt an Toten, Verwundeten und Cholerakranken 60000 Mann verloren haben — Die Mächte des Dreiverbands lehnen auf Drängen Englands das Angebot Japans, eine halbe Million Soldaten nach Europa zu werfen, ab

25.: Das Fort Camp des Ro-

mains bei St. Mihiel ist gefallen. Beim Abzug der tapferen französischen Besatzung senkten die Deutschen die Fahnen

26.: Die Umfassungsversuche der Franzosen auf dem rechten deutschen Flügel abgewiesen, Gefecht bei Bapaume — Die Russen dringen durch den Uzsoker-Paß in Ungarn ein — Die Deutschen beschießen die russische Festung Ossowiec

27.: Ausfall der Belgier aus Antwerpen, sie werden auf Termonde zurückgeschlagen — Die Deutschen bombardieren Mecheln — Gegen Tsingtau gelangen japanische und englische Streitkräfte bis an den Litsunfluß

28.: Die Deutschen haben gegen einen Teil der Forts von Antwerpen das Feuer eröffnet — Die im Oberelsaß wieder eingedrungenen Franzosen werden gegen Belfort zurückgedrängt — Tsingtau wird zu Lande abgeschlossen

29.: An der Aisne halten sich die kämpfenden Heere gegenseitig in Schach — Die Deutschen ziehen in Mecheln ein — Die Österreicher gehen in Galizien von neuem vor, verbündet mit verstärkten deutschen Truppen, die in Russisch-Polen vorrücken. Die Russen gehen beiderseits der Weichsel zu-

25

Stämme in Schlachten zwischen Metz und den Vogesen einen Sieg erkämpft (Vogesenschlacht). Die feindlichen Streitkräfte, über 400000 Mann, wurden auf der ganzen Linie unter schweren Verlusten geworfen; viele Tausende Gefangene gemacht, zahlreiche Geschütze wurden erbeutet — Die deutschen Truppen rükten in Brüssel ein — Die Österreicher suchten ihre Erfolge in Serbien durch energische Vorstöße auszunutzen. Die Truppen wurden aber mit Rücksicht auf die nötige Verstärkung im Nordosten in ihre ursprünglichen Stellungen an der unteren Drina und Save zurückgenommen — Die Deutschen besetzen Gent — Der Gouverneur von Tsingtau gelobt dem Deutschen Kaiser Pflichterfüllung bis aufs äußerste

21.: Italien erklärt nochmals seinen Willen, an der Neutralität unter Wahrung seiner Interessen festzuhalten — In Bayern wird der Landsturm ersten Aufgebots aufgerufen — Der japanische Botschafter in Wien erklärte, daß Japan Kiautschou nicht behalten, sondern an China zurückgeben will

22.: Erfolgreiche Kämpfe der Österreicher gegen die Russen bei Tomaszow, Turynka und Kamionka-Strumilowa in Galizien — Englands Plan, eine Ersatzarmee von einer halben Million zu schaffen, soll gescheitert sein, da sich nur zweitausend Mann gemeldet hätten, dennoch versichert die Kriegsleitung, in einigen Wochen hunderttausend Mann beisammen zu haben

23.: Sieg der Armee des deutschen Kronprinzen bei Longwy — Die Armee des Kronprinzen von Bayern hat auf der Verfolgung des geschlagenen Feindes die Linie Luneville-Blamont-Cirey erreicht — Sieg der Armee des Herzogs Albrecht von Württemberg bei Neufchateau (Belgien) — Starke russische Kräfte vom deutschen I. Armeekorps bei Gumbinnen geschlagen, 8000 Gefangene, 8 Geschütze erbeutet — Sieg der Österreicher in Russisch-Polen bei Krasnik — Deutsche und österreichische Armeegruppen erreichen westlich der Weichsel die Lysa Gora — Der japanische Geschäftsträger verläßt Berlin —

24.: Rußland hat die Leuchtfeuer von Sebastopol gelöscht — Die Franzosen räumen Mülhausen, das sie wieder besetzt hatten — Vernichtung der zweiten englischen Kavalleriebrigade

18

zwischen Mons und Valenciennes

25.: Von der Festung Namur sind fünf Forts und die Stadt bereits in deutschem Besitz — In Paris und London sind „Garibaldikorps" italienischer Staatsangehöriger im Entstehen begriffen — Das österreichische Kriegsschiff „Kaiserin Elisabeth" hat den Auftrag erhalten, an dem Kampf der deutschen Streitkräfte in Tsingtau teilzunehmen; darauf wurden dem japanischen Gesandten in Wien die Pässe zugestellt — In Galizien bilden sich „Polnische Legionen", die im ganzen 70000 Mann ergeben und in eigenen Verbänden in das österreichische Heer eingereiht werden, sollen

26.: Bei Namur sind sämtliche Forts gefallen — Longwy ist genommen — Ausfall der Belgier aus Antwerpen, Franktireur-Überfall in Löwen

27.: Der deutsche kleine Kreuzer „Magdeburg" ist bei Odesholm im Nebel auf Grund geraten und hat sich beim Herannahen russischer Schiffe in die Luft gesprengt — Die Engländer haben die deutschen Kabel durchgeschnitten

28.: Die englische Armee bei St. Quentin vollständig geschlagen — Die Deutschen überschreiten südöstlich Mezieres in breiter Front die Maas — Manonviller ist in deutschem Besitz — Deutsche Kavallerie-Patrouillen streifen bis Lille — Die Österreicher kämpfen seit Tagen in dem ganzen Raum zwischen Weichsel und Dnjestr; der linke österreichische Flügel dringt siegreich vor — Aufstände im Kaukasus — Österreich-Ungarn erklärt Belgien den Krieg

29.: Hindenburgs erster Sieg bei Gilgenburg-Ortelsburg über die russische Narew-Armee — In einem Seegefecht nordwestlich von Helgoland sinken der deutsche Kreuzer „Ariadne" und das Torpedoboot „V 187"; die kleinen Kreuzer „Köln" und „Mainz" werden vermißt — In Galizien müssen die Österreicher vor der russischen Übermacht gegen Lemberg zurückgehen — Ein Zeppelin hat in der Nacht Antwerpen bombardiert und erheblichen Schaden angerichtet — Die Nachrichten von den deutschen Siegen machen Eindruck in Italien — Präsident Wilson erklärt die amerikanische Neutralität im Kriege Deutschlands und Österreichs mit Japan

30.: In den großen Kämpfen bei Tannenberg, Ortelsburg und Hohenstein wur-

19

2*

21

den nach vorläufiger Schätzung 30 000 Gefangene gemacht. Die von drei Seiten gefaßten Russen wurden in die Seen und Sümpfe Masurens geworfen — Deutsche Truppen sind bei Compiègne, 80 Kilometer von Paris, angekommen — Der erste deutsche Flieger über Paris

31.: Ein Ausfall der belgischen Armee aus Antwerpen wird von den Deutschen bei Mecheln zurückgeschlagen — Die Anmeldungen der Kriegsfreiwilligen haben in Deutschland schon die zweite Million überschritten — Die Zahl der bei Tannenberg gefangenen Russen ist nun auf 70 000 angewachsen, 150 000 in den masurischen Sümpfen und Seen umgekommen; im ganzen sind 6 Armeekorps geschlagen, davon 3½ vernichtet — Die französische Festung Givet fällt

September

1.: Die französischen Forts Les Ayvelles und Montmedy sind gefallen; die deutschen Armeen Kluck, Bülow, Hausen und Herzog Albrecht rücken gegen die Aisne vor, die des deutschen Kronprinzen gegen und über die Maas — Die russische Rennenkampf-Armee, die bei Insterburg stand, tritt den schleunigen Rückzug an — Erfolgreiche Kämpfe der österreichischen Dankl-Armee bei Zamosc und Tomaszow in Russisch-Polen, etwa 12 000 Gefangene — Die Schlacht in Galizien wird günstig beurteilt, trotz der großen russischen Übermacht — Die Engländer besetzen Apia in Deutsch-Samoa — In Belgien werden alle Uhren nach deutscher Zeit gestellt

2.: Zwischen Reims und Verdun wurden die mittleren Heeresgruppen Frankreichs, etwa zehn Armeekorps, zurückgeworfen — Sieg der österreichischen Armee Auffenberg zwischen Zamosc und Komarow in Russisch-Polen, 30 000 Gefangene — Dum-Dum-Geschosse bei Franzosen und Engländern

3.: Die französische Regierung verläßt Paris und siedelt nach Bordeaux über

4.: Deutsche Truppen besetzen Reims ohne Kampf

5.: An der englischen Küste bei Tyne wird der englische Kreuzer „Pathfinder" vom deutschen Unterseeboot „U 21" zum Sinken gebracht — Von Maubeuge sind zwei Forts gefallen — Die Österreicher haben Lemberg geräumt, die Russen folgen langsam — Die Zahl der rus-

20

fischen Gefangenen aus der Schlacht bei Tannenberg beträgt nunmehr 90000 — Amtlich wird über zahllose Schandtaten und Grausamkeiten berichtet, die von den Russen in Ostpreußen verübt wurden

6.: Die Regierungen von England, Frankreich und Rußland verpflichten sich gegenseitig, im Laufe des Krieges nicht einzeln Frieden zu schließen

7.: Maubeuge hat kapituliert, 40000 Gefangene, 400 Geschütze erbeutet — Der englische große Kreuzer „Warrior" sinkt in der Adria als Opfer einer österreichischen Seemine — Die Serben versuchen bei Mitrovitza in Slawonien einzubrechen und werden mit großen Verlusten zurückgeworfen, die Reste der Timok-Division wurden aufgerieben

8.: In Belgien dringen die Deutschen allmählich gegen die Küste vor — Kaiser Wilhelm protestiert in einem Telegramm an Präsident Wilson gegen die Kriegführung der Gegner — Das englische Publikum ist enttäuscht, daß die deutsche Flotte noch nicht vernichtet ist — Bei Paris ist eine Schlacht im Gange

9.: Bei Lemberg hat durch erneutes offensives Vorgehen der Österreicher eine neue Schlacht begonnen

10.: Die Armee des deutschen Kronprinzen hat die befestigten französischen Stellungen südwestlich Verdun genommen — Die Deutschen kämpfen östlich Paris zwischen Meaux und Montmirail gegen überlegene französische Kräfte; der rechte Flügel wurde zurückgenommen — Hindenburg hat den noch in Ostpreußen befindlichen Teil der Wilna-Armee geschlagen, der Feind flüchtet gegen den Njemen — Der deutsche Kreuzer „Emden" erscheint im Golf von Bengalen und beginnt seine erfolgreichen Kaperfahrten gegen feindliche Dampfer

11.: Das 22. russische Armeekorps ist bei dem Versuch, in den Kampf in Ostpreußen einzugreifen, bei Lyck zurückgeschlagen worden — Die Türkei hebt die „Kapitulationen" auf — Bis jetzt sind in Deutschland rund 260000 Kriegsgefangene untergebracht (Franzosen: 1680 Offiziere, 128700 Mann; Russen: 1830 Offiziere, 91400 Mann; Belgier: 400 Offiziere, 30200 Mann; Engländer: 160 Offiziere, 7350 Mann)

12.: Belgrad wird wieder beschossen — Die Engländer verhindern mit Willkür und Rücksichtslosigkeit jede Ver-

21

bindung Ägyptens mit Europa — Präsident Wilson hat einen ersten Versuch zur Friedensvermittlung gemacht — In den letzten Tagen haben erbitterte Kämpfe im Oberelsaß stattgefunden (Sennheim, Altthann, Thann, Bischweiler, Moosch) — Die Japaner bemächtigen sich des Bahnhofs in Kiautschou

13.: Die russische Wilna-Armee flieht in voller Auflösung aus Ostpreußen, die verfolgenden Deutschen haben die Grenze bereits überschritten; bisher etwa 30000 Gefangene, 150 Geschütze — Bei Lemberg (Grodek) seit fünf Tagen heftige Kämpfe, die Österreicher drängten in mühseligem Ringen den Feind langsam zurück und machten dabei 10000 Gefangene. Ungünstige Verschiebungen in Nordgalizien, wo sich zwischen die Armee Auffenberg und die bei Lemberg eine starke russische Armee einzuschieben drohte, machen trotz der Erfolge das Zurückgehen der Österreicher bei Lemberg nötig — Vor Lublin traten der österreichischen Armee Dankl immer stärkere feindliche Massen entgegen, die ein Zurückgehen der Armee nötig machten — Der deutsche kleine Kreuzer „Hela" wird durch ein feindliches

22

Unterseeboot zum Sinken gebracht — Die Engländer besetzen Herbertshöhe im Bismarck-Archipel — Präsident Poincaré erklärt in einem Telegramm an Präsidenten Wilson die deutsche Behauptung, die Franzosen verwendeten Dum-Dum-Geschosse, für eine Verleumdung; auf die Anregung amerikanischer Regierungsorgane, eine Kommission mit der Feststellung der Tatsachen zu betrauen, weigert er sich aber einzugehen

14.: Die Deutschen haben sich von der Marne bei Paris auf die Aisne-Linie zurückgezogen. Bei Soissons heftige Kämpfe — Die österreichische Armee in Galizien zieht sich in eine Defensivstellung zurück, um in dieser als festes Bollwerk gegen die russische Überflutung den Feind zu erwarten — Im Senat in Kapstadt teilt Botha den Beschluß der Regierung mit, auf Wunsch der (englischen) Reichsregierung Teile von (Deutsch-) Südwestafrika „aus strategischen Rücksichten" zu besetzen; General Delarey stimmt ihm bei; die Engländer sandten Truppen nach Kapstadt — Der deutsche Hilfskreuzer „Cap Trafalgar" geht nach heftigem Kampf mit dem englischen Hilfskreuzer „Carmania" an der brasilianischen Küste unter

15.: Das russische Gouvernement Suwalki wird unter deutsche Verwaltung gestellt — Unter den von den Österreichern bei Lublin gefangenen Russen befanden sich Baschkiren und Tungusen aus Ostsibirien. Daraus und aus anderen Umständen ist erwiesen, daß Rußland sehr früh, vielleicht schon im Mai, seine Vorbereitungen traf und die asiatischen Korps mobilisiert hat — Das Reuter-Bureau meldet einige kleine Gefechte in Deutsch-Südwest-Afrika und Deutsch-Ost-Afrika, die für die Engländer Erfolge gebracht haben sollen — Die Serben geben ihre bisherigen Verluste auf 25000 Mann an — Die englische Marinemission in Konstantinopel demissioniert — Man erfährt, daß Frankreich schon vor zwei Monaten in französischen Grenzorten durch Zirkulare an die Bürgermeister zur Bildung von Bürgerwehren, die mit Schußwaffen auszurüsten sind, aufgefordert hat — — Englische Reden: Churchill sagt, wenn das englische Volk wolle, könne die englische Armee im Frühjahr 1915 die volle Stärke von 25 Armeekorps erreicht

haben. Dies sei derselbe große Krieg, der bereits im Jahre 1909 hätte durchgeführt werden sollen, wenn nicht Rußland den deutschen Drohungen, sich erniedrigend, nachgegeben hätte. Lord Curzon sagt, er hoffe es zu erleben, daß die Lanzen bengalischer Reiter auf den Straßen Berlins funkeln und dunkelhäutige Gurkhas es sich in den Potsdamer Parks bequem machen. Lord Beresford behauptet, der Friede werde in Berlin geschlossen — Die Petersburger „Rjetsch" bringt eine Aufforderung an Italien, sich doch endlich der Triple-Entente anzuschließen. Einen etwa mangelnden diplomatischen Vorwand würden die Ententemächte gerne suchen helfen

16: Japan hat sich verpflichtet, England Truppenhilfe in Indien zu leisten

17.: Im Osten die 4. finnische Schützenbrigade bei Augustowo geschlagen — In den Kämpfen in Frankreich noch keine Entscheidung — Die Serben werden bei Pancsowa über die Donau gelassen, dann von den Österreichern mit dem Bajonett angegriffen und über Haufen geworfen; der über die Donau fliehende Rest ist klein — Das französische 13. und 4. Armeekorps süd-

23

lich Noyon entscheidend geschlagen; Chateau Brimond
bei Reims erstürmt

18.: Der englische Politiker
Ponsonby veröffentlicht in
den „Times" dreizehn Fra-
gen und Antworten, die eine
Anklage der Politik Eng-
lands darstellen

19.: In Frankreich ist das eng-
lisch-französische Heer auf
der ganzen Schlachtfront in
die Verteidigung gedrängt
worden — Die französische
Flotte, ungefähr 40 Ein-
heiten stark, beschießt die
Forts und die Einfahrt der
Bocche di Cattaro, Erfolg:
ein Verwundeter. Sie steu-
ert darauf nach Lissa und
beschießt die Semaphor-
station und den Leuchtturm,
Erfolg: zwei Verwundete.
Sie zeichnet sich ferner dadurch aus, daß in Pelagosa
gelandete Matrosen das
Trinkwasser auf unflätige
Art verunreinigen und dem
armen Leuchtturmwärter
den wenigen Proviant und
Wäschestücke wegnehmen.
Dann dampfte sie nach
Südwesten ab

20.: Erste Beschießung von
Reims. Die Franzosen hat-
ten Geschütze hinter der Kathedrale und auf dem Turm
einen Beobachtungsposten
aufgestellt, was die Beschießung der Kathedrale not-
wendig machte — Rumä-
nien beschließt, seine Un-

parteilichkeit nach wie vor
unbedingt aufrecht zu erhalten — Der deutsche Kreu-
zer „Königsberg" versenkt
den englischen Kreuzer „Pe-
gasus" vor Sansibar —
Vom 17. bis heute siegreiche
Kämpfe der Deutschen bei
Löwen und Aerschot gegen
das aus Antwerpen aus-
fallende belgische Heer

21.: Im Angriff auf die
Sperrfortlinie südlich Verdun wurde der von den
Franzosen fest verteidigte
Ostrand der Côte Lorraine
siegreich überschritten —
Die Japaner nähern sich
langsam den Befestigungen
von Tsingtau

22.: Das deutsche Unterseeboot „U9" torpediert in der
Nordsee die englischen Panzerkreuzer „Aboukir", „Ho-
gue" und „Cressy", die alle
drei sinken — Unter den
Buren entstand eine Bewe-
gung gegen die von Eng-
land gewünschten Angriffe
auf Deutsch-Südwestafrika
— Die englische Marine-
mission in Konstantinopel
erhält Befehl, nach Sebastopol zu gehen

23.: Die Deutschen eröffnen
mit Erfolg schweres Artil-
leriefeuer gegen die französischen Sperrforts Tro-
yon, Les Paroches, Camp des
Romains und Liouville —
Die Franzosen und Eng-
länder begannen ihre Ver-

24

suche, den rechten deutschen Flügel zu umfassen — Die Russen beginnen die erste Beschießung Przemysls — Die Österreicher haben in Serbien die Höhen westlich Krupanj nach tagelangen erbitterten Kämpfen genommen — Die englische Regierung gestattet dem Khedive von Ägypten nicht, nach Kairo zurückzukehren — Die erste deutsche Kriegsanleihe hat 4 Milliarden 461 Millionen Mark ergeben

24.: Vom westlichen Kriegsschauplatz keine wesentlichen Ereignisse. Es beginnt der wochenlange Schanzenkrieg an der Aisne — Den in Slawonien eingedrungenen Serbien, etwa 30000 Mann, haben die österreichischen Truppen, die von zwei Seiten heranrückten, bei Pankova und Alt-Pazua eine fürchterliche Niederlage beigebracht, auch auf dem Rückzug ertranken noch viele in der Save — Die Serben sollen bis jetzt an Toten, Verwundeten und Cholerakranken 60000 Mann verloren haben — Die Mächte des Dreiverbands lehnen auf Drängen Englands das Angebot Japans, eine halbe Million Soldaten nach Europa zu werfen, ab

25.: Das Fort Camp des Romains bei St. Mihiel ist gefallen. Beim Abzug der tapferen französischen Besatzung senkten die Deutschen die Fahnen

26.: Die Umfassungsversuche der Franzosen auf dem rechten deutschen Flügel abgewiesen, Gefecht bei Bapaume — Die Russen dringen durch den Uzsoker-Paß in Ungarn ein — Die Deutschen beschießen die russische Festung Ossowiec

27.: Ausfall der Belgier aus Antwerpen, sie werden auf Termonde zurückgeschlagen — Die Deutschen bombardieren Mecheln — Gegen Tsingtau gelangen japanische und englische Streitkräfte bis an den Litsunfluß

28.: Die Deutschen haben gegen einen Teil der Forts von Antwerpen das Feuer eröffnet — Die im Oberelsaß wieder eingedrungenen Franzosen werden gegen Belfort zurückgedrängt — Tsingtau wird zu Lande abgeschlossen

29.: An der Aisne halten sich die kämpfenden Heere gegenseitig in Schach — Die Deutschen ziehen in Mecheln ein — Die Österreicher gehen in Galizien von neuem vor, verbündet mit verstärkten deutschen Truppen, die in Russisch-Polen vorrücken. Die Russen gehen beiderseits der Weichsel zu-

25

rück — In Serbien tritt nach vierzehntägigen hartnäckigen Kämpfen eine Operationspause ein. Die österreichische Südarmee steht ganz auf serbischem Boden. Die verzweifelten Anstrengungen der Serben, die Höhen von Krupanj und Losnica wieder zu gewinnen, scheiterten unter großen Verlusten — Die „Emden" hat in den letzten Tagen wieder sechs Dampfer weggenommen und versenkt

30.: Nördlich und südlich Albert vorgehende feindliche Kräfte von den Deutschen geschlagen — Vor Antwerpen sind zwei Forts zerstört — Vormarsch russischer Kräfte über den Njemen

Oktober

1.: Die Höhen von Roye und Fresnoy werden den Franzosen entrissen — Vor Antwerpen das Fort Wavre St. Catherine gestürmt, das Fort Waelhem eingeschlossen — Termonde ist in deutschem Besitz

2.: Südlich Roye die Franzosen geworfen — In den Argonnen beginnen hartnäckige Kämpfe — Nächtliche Vorstöße der Franzosen aus Toul für sie verlustreich zurückgeworfen — Der kleine deutsche Kreuzer

26

„Karlsruhe" hat im Stillen Ozean sieben englische Dampfer versenkt

3.: Vor Antwerpen die Forts Lierre, Waelhem und Koningshoyckt gefallen. Die so im äußeren Fortgürtel entstandene Lücke gestattet den Angriff auf die innere Fortlinie und die Stadt — Auf dem linken Flügel der über den Njemen vordringenden russischen Armee das 3. sibirische und Teile des 22. Armeekorps bei Augustuwo geschlagen — Die in Ungarn, Komitat Marmaros, eingedrungenen Russen bei Ökörmezö geschlagen — Die bisherigen Gesamtverluste der Russen werden auf etwa 500000 Mann geschätzt und 1100 Kanonen — Der in Lemberg eingetroffene russische Metropolit Eulogius proklamierte den orthodoxen Glauben als den herrschenden

4.: Die Österreicher nehmen die Offensive gegen die Russen wieder auf — Deutsche Truppen vertreiben in Russisch-Polen die russ. Gardeschützen-Brigade aus einer befestigten Stellung bei Opatow — Die Russen treten in Ungarn den Rückzug an — Die in Bosnien eingedrungenen serbisch-montenegrinischen Streitkräfte wurden vollkommen geschlagen und auf Foca zu in die Flucht gejagt — Die Deutschen in Kiautschou haben sich auf Tsingtau selbst zurückgezogen — Über hundert bedeutende Vertreter deutscher Kunst und Wissenschaft verbreiten im neutralen Ausland einen Protest gegen die Lügen und Verleumdungen, die von Deutschlands Gegnern seit Wochen überall ausgesprengt werden — Ein Zeppelin über Ostende

5.: Vor Antwerpen die Forts Kessel und Broechem zum Schweigen gebracht — Die Deutschen greifen zweieinhalb russische Kavallerie-Divisionen bei Radom an und werfen sie auf Iwangorod zurück — Der französische große Panzerkreuzer „Waldeck · Rousseau" und viele kleine Kreuzer beschießen das Fort Lustica bei Cattaro. Durch das Gegenfeuer des Forts wurden zwei Kreuzer kampfunfähig gemacht

6.: Die Abwehr der Umfassungsversuche der Franzosen haben den rechten deutschen Flügel bis Arras ausgedehnt — Es wird gemeldet, daß beim ersten Sturm auf Tsingtau die Japaner und Engländer mit einem Verlust von 2500 Mann zurückgeschlagen worden seien — Russenfeindliche Bewegungen in Persien gewinnen

27

immer mehr Umfang — Die Österreicher verteidigen Przemysl hartnäckig mit großem Erfolg

7.: Vor Antwerpen ist das Fort Broechem in deutschen Besitz, der deutsche Angriff nähert sich dem inneren Fortgürtel — Ein Angriff der Russen im Gouvernement Suwalki abgewiesen, 2700 Gefangene — In den Kämpfen am Uzsoker-Paß hatten die Russen über 8000 Tote — Die Japaner haben Jaluit, Regierungssitz der Marschallinseln, besetzt — Die Kaperfahrten der „Emden" haben die Häfen Birma und Rangoon völlig lahmgelegt

8.: Vor Antwerpen das Fort Breendonck genommen, es begann die Beschießung der Stadt, der König und die Königin verließen die Stadt in Begleitung englischer Offiziere — Die Luftschiffhalle in Düsseldorf wird von der Bombe eines feindlichen Fliegers getroffen, Schaden gering — Die serbische Regierung ist von Nisch nach Üsküb übergesiedelt — Der Hauptangriff auf Przemysl ist abgeschlagen

9.: Vor Antwerpen einige Forts der inneren Linie gefallen, die Stadt ist in deutschem Besitz. Die belgischen und englischen Besatzungstruppen verließen die Stadt rechtzeitig. Die Einwohner flüchteten zu Tausenden über die holländische Grenze — Nach einem letzten Sturm von Süden ziehen sich die Russen unter dem Druck der neuen österreichischen Offensive von Przemysl zurück. Sie haben bei den Stürmen seit dem 6. vor dieser Festung 40000 Mann verloren — Die heftigen Kämpfe in Serbien bei Krupanj dauern fort — Aus Frankreich, England und Rußland häufen sich die Nachrichten über schier barbarische Behandlung der gefangenen Deutschen und Österreicher

10.: Die ganze Festung Antwerpen mit allen Forts in deutschem Besitz — Die Deutschen haben die Nachhut der Belgier und Engländer aus Antwerpen bei St. Nikolas abgeschnitten und teilweise über die holländische Grenze gedrängt — Die Russen wichen einer Entscheidung mit der Armee Hindenburgs aus und zogen sich hinter die Weichsel zurück — Russische Angriffe bei Schirwindt abgeschlagen — In Südafrika haben die Engländer im Kampf gegen die Deutschen bei Riedfontain eine empfindliche Niederlage — König Carol von Rumänien gestorben

11.: Siegreiche Gefechte der Deutschen westlich Lille und bei Hazebrouck gegen französische Kavallerie — Wechsel im italienischen Kriegsministerium — Man erfährt, daß in den Kammerverhandlungen in Kapstadt General Herzog scharf gegen Botha protestierte — Die Deutschen rücken von Salzaete an der holländischen Grenze gegen Ostende vor, in Verfolgung der fliehenden Besatzung Antwerpens — Das deutsche Unterseeboot „U 26" bringt den russischen Panzerkreuzer „Pallada" zum Sinken

12.: Deutsche Kavallerie nahe bei Dixmuiden — Die Österreicher sind bis an den San vorgedrungen — In Russisch-Polen wurden starke russische Streitkräfte bei Versuchen, die Weichsel südlich Iwangorod zu überschreiten, von den Deutschen zurückgeschlagen — Der Dardanellen-Konflikt zwischen der Türkei und den Dreiverbandsmächten spitzt sich immer mehr zu — Von der Antwerpener Besatzung sind 26000 Belgier und 7000 Engländer in Holland entwaffnet worden, 20000 Mann sind gefangen, 15000 bis 20000 Mann betragen die belgischen Verluste an Toten und Verwundeten. Der nach der Küste entkom-

28

mene Reſt dürfte nicht groß
ſein. Der König iſt in Oſtende

13.: Der Reſt der Antwer-
pener Beſatzung will ſich
über Ypern zu den Verbün-
deten durchſchlagen — Die
belgiſche Regierung wird
nach Le Havre verlegt — In
Brüſſel aufgefundene Do-
kumente lehren, daß die Verletzung der Neutralität Bel-
giens durch Deutſchland der
engliſchen Regierung nur
als Vorwand zum Krieg
diente. In Wahrheit hat
Belgien ſelbſt auf Anſtiften
Englands bereits vor Jah-
ren die Neutralität ge-
brochen, als es Abmachun-
gen über gemeinſame Ak-
tionen mit England für den
Fall eines deutſch-franzö-
ſiſchen Krieges traf, die jetzt
bekannt werden

14.: Die Belgier ſind von Gent
aus in eiligem Rückzug auf
die Küſte begriffen und werden verfolgt — Die Deut-
ſchen beſetzen Brügge —
Lille iſt von den Deutſchen
beſetzt — Ruſſiſche Vortruppen auf Warſchau zurück-
geworfen, 8000 Gefangene
— Rebellion des Buren-
oberſten Maritz gegen Bo-
tha — Die Forts Iltis und
Kaiſer bei Tſingtau zerſtört

15.: Die „Times" melden ei-
nen heftigen Kampf in dem
Dreieck Dixmuiden-Ypern-
Dünkirchen — Die Deutſchen

beſetzen Oſtende — In China
iſt ein völliger Umſchwung
zugunſten Deutſchlands eingetreten — „U 9" bringt den
engliſchen Kreuzer „Hawke"
zum Sinken

17.: Im Kampfe mit eng-
liſchen Schiffen ſinken die
deutſchen Torpedoboote „S
115", „S 117", „S 118", „S
119" unweit der hollän-
diſchen Küſte — Seit dem
Fall Antwerpens erörtert
die engliſche Preſſe lebhaft
die Möglichkeit einer deutſchen Invaſion — Der ja-
paniſche Kreuzer „Takat-
ſchio" wird vor Tſingtau
durch das deutſche Torpedoboot „S 90" vernichtet

18.: Das engliſche Unterſee-
bot „E 3" in der Nordſee
vernichtet — Eröffnung der
Univerſität in Frankfurt a.
M.

20.: Die von Oſtende an der
Küſte vorrückenden Deut-
ſchen ſtießen bei Nieuport
auf feindliche Kräfte und
kämpfen dort ſeit dem achtzehnten. Heftige Kämpfe in
Galizien am Strwiaz-Fluß,
die für die Öſterreicher erfolgreich ſind. Lemberg ſoll
von den Ruſſen geräumt
ſein — Die Japaner haben
die Marſchall-, Marianen-
und Karolineninſeln beſetzt
— Der „Reichsanzeiger" in
Berlin veröffentlicht den
Proteſt der deutſchen Regierung bei der franzöſiſchen

29

wegen mehrfacher Verletzung der Genfer Konvention

21.: Die Kämpfe am Yserkanal gehen heftig weiter, die Artillerie des Feindes wird vom Meer aus unterstützt — Bei Lille weitere Kämpfe, die Deutschen in der Offensive, 2000 Engländer gefangen — Die Kämpfe in Galizien entwickelten sich zu einer zusammenhängenden Schlacht von 150 Kilometer Frontlänge und dürfte zu einer Hauptschlacht werden — In den Karpathen wurde der letzte, von den Russen noch besetzte Paß (Jablonica-Paß) von den Österreichern genommen, Ungarn ist vom Feinde frei — Die Gärung in Ägypten und Indien nimmt zu. Nach Frankreich bestimmte englische Truppen sind schon anfangs Oktober nach Indien geschickt worden

22.: In den heftigen Kämpfen am Yserkanal unterstützen elf englische Kriegsschiffe die Verbündeten — Teilweises Vordringen der Deutschen östlich Dixmuiden und Ypern — Bei Lille erbitterte Kämpfe, der Feind wich langsam zurück — In den letzten Kämpfen in Süd-Galizien haben die Österreicher 3400 Russen gefangen. In Czernowitz rückten österreichische Vortruppen

ein — Die in das östliche Bosnien eingedrungenen starken serbischen und montenegrinischen Kräfte werden nach erbittertem dreitägigen Kampf geschlagen und fliehen — Die Türkei hat die allgemeine Mobilmachung angeordnet

23.: Am Yserkanal Erfolge, westlich Lille einige Ortschaften besetzt — Ein russischer Angriff auf Augustowo zurückgeschlagen — Heftige Kämpfe am unteren San — Teile des österreichischen Heeres schlagen vor Iwangorod zwei russische Divisionen, erbeuten eine Fahne, 3600 Gefangene — Der Donaumonitor „Temes" läuft auf eine feindliche Mine und sinkt — In England werden Scharen von Deutschen und Österreichern verhaftet, um in Konzentrationslagern untergebracht zu werden — Kriegssitzung des preußischen Landtags, Bewilligung von 1½ Milliarden Kredite

24.: Die Deutschen überschreiten den Yserkanal im nördlichen Teil — Englische Kriegsschiffe beschießen Ostende zwecklos — Westlich Augustowo neue Angriffe der Russen, alle abgeschlagen

25.: Unentschiedene Kämpfe auf allen Fronten, die deut-

30

schen und österreichischen Truppen stehen von den Karpathen bis Plozk (Russisch-Polen) in Kämpfen mit der russischen Hauptmacht. Zeppeline und Flugzeuge beschießen Warschau

26.: Das an den Kämpfen am Yserkanal teilnehmende englische Geschwader wird durch die deutsche schwere Artillerie zum Rückzug gezwungen; drei Schiffe erhielten Volltreffer — Die Österreicher machen vor Jwangorod 10000 Gefangene

27.: Nördlich Jwangorod haben neue russische Armeekorps die Weichsel überschritten — Die Serben und Montenegriner aus Bosnien getrieben — In Serbien zwei feindliche Stellungen, bei Kavaja und in der Macva, im Sturm genommen; gute Beute

28.: Ein Zeppelin hat Paris bombardiert — An den Kämpfen am Yserkanal beteiligen sich von neuem 16 englische Kriegsschiffe, aber ohne Erfolg — In Polen Ausweichen der deutsch-österreichischen Truppen vor neuen russischen Kräften, die von Jwangorod-Warschau und Nowogeorgiewsk vorgingen — General Dewet soll gegen Botha sein

29.: Südöstlich Nieuport gewinnen die Deutschen langsam Boden — Westlich Lille wurden mehrere feindliche Stellungen genommen — Südöstlich Verdun ein heftiger französischer Angriff zurückgeschlagen — Auf dem nordöstlichen Kriegsschauplatz machten die Deutschen in den letzten drei Wochen 13500 russische Gefangene, erbeuteten 30 Geschütze und 39 Maschinengewehre — In Galizien Versuche der Russen, in den Raum von Turka vorzudringen, abgewiesen — An der Nordküste Irlands gerät das englische Großkampfschiff „Audacious" auf eine Mine und sinkt

30.: Die Angriffe bei Nieuport und Ypern schreiten fort; 200 englische Gefangene, 8 Maschinengewehre erbeutet — Österreichisches Geschützfeuer sprengt bei Stary-Sambor (Gal.) ein russisches Munitionsdepot in die Luft — Die türkische Flotte wird bei einer Übungsfahrt im Schwarzen Meer von russischen Kriegsschiffen angegriffen — Der russische Botschafter ist aus Konstantinopel abgereist — Die „Emden" hat auf der Reede von Pulo Pinang den russischen Kreuzer „Schemtschuk" und den französischen Torpedojäger „Mousquet" zum Sinken gebracht — Die „Kö-

31

nigsberg" wird im Rufidschi-Fluß (Deutsch-Ostafrika) von dem englischen Kreuzer „Chatham" durch Versenken eines Kohlendampfers blockiert — Deutschland kündigt Gegenmaßregeln gegen die Behandlung deutscher Gefangener in England an

31.: In Belgien nahmen die Deutschen Ramscapelle und Bifschote — Östlich Soissons deutsche Angriffe, der Feind aus den stark verschanzten Stellungen bei Vailly vertrieben und unter schweren Verlusten über die Aisne zurückgeworfen; mehrere tausend Gefangene — Der türkische Panzerkreuzer „Sultan Jawus Selim" (Goeben) hat Sebastopol mit Erfolg beschossen — Vernichtung des englischen Kreuzers „Hermes" durch ein deutsches Unterseeboot — Der Burenaufstand nimmt unter Dewet und Beyers immer größeren Umfang an

November

1.: Erstes und siegreiches Seegefecht gegen England: An der chilenischen Küste bei der Insel Santa Maria Kampf zwischen „Scharnhorst", „Gneisenau", „Nürnberg", „Leipzig", „Dresden" und „Monmouth", „Good Hope", „Glasgow", „Otranto". Der Panzerkreuzer „Monmouth" vernichtet, „Good Hope" schwer beschädigt, „Glasgow" (beschädigt) und „Otranto" entkommen — An Stelle von Prinz Battenberg wird Lord Fisher Erster Seelord — Die bisherigen Verluste der Feinde werden berechnet: für Rußland auf 1134000 Mann (327000 Tote, 575000 Verwundete, 232000 Gefangene), für Frankreich auf 667000 Mann (130000 Tote, 370000 Verwundete, 167000 Gefangene) und für England auf 80000 Mann — Flandern ist überschwemmt — Die mehrtägige erbitterte Schlacht nördlich Turka in Galizien führte zu einem vollen Sieg der Österreicher

2.: Der Angriff auf Ypern schreitet vor; Messines in den Händen der Deutschen — Auf der ganzen Front der Engländer verteilt, kämpfen in Flandern auch Inder mit — Ein russischer Durchbruchsversuch bei Szittkehmen abgewiesen — Die Russen haben an der kaukasischen Grenze türkische Grenztruppen angegriffen, müssen aber mit Verlusten zurück — Englische Niederlage in Deutsch-Ostafrika. Die Engländer haben 800 Verwundete und Tote

32

3.: Die Überschwemmungen südlich Nieuport machen den Deutschen weitere Operationen dort unmöglich — Bei den fortschreitenden Angriffen auf Npern wurden 2300 Engländer gefangen — Westlich Noye (Frkr.) erbitterte, für beide Seiten verlustreiche Kämpfe, die aber die Lage nicht verändern — Östlich Soissons Erfolge, Chavonne und Soupir besetzt — In der Gegend Markirch (Vog.) französische Angriffe abgeschlagen — In den Kämpfen nördlich Turka (Gal.) machten die Österreicher 2500 Gefangene — Angriff von deutschen großen und kleinen Kreuzern auf die englische Küste bei Narmouth, Beschießung der dortigen Küstenwerke — Die englische Flotte beschießt Akaba an der ägyptischen Grenze, Landungsversuch mißglückt — Englische und französische Kriegsschiffe beschießen den Dardanelleneingang, ohne besonderen Schaden anzurichten. Dagegen wird ein englischer Panzerkreuzer von der türkischen Küstenbatterie in Brand geschossen.

4.: In Russ.-Polen machen die Österreicher in Kämpfen an der Lysa Gora 2200 Gefangene — In Serbien schreiten die Angriffe der Österreicher aus dem endgültig

genommenen Schabaz günstig fort — Kavalleriekampf der Türken mit Kosaken, die geschlagen wurden — Der deutsche große Kreuzer „Nork" geriet in der Jade auf eine Hafenminensperre und sinkt — Belgier mit Franzosen und Engländern unternehmen einen heftigen Vorstoß längs der Küste zwischen Meer und Überschwemmungsgebiet über Nieuport, der mühelos abgewiesen wird

5.: Die Russen südlich der Wisloko-Mündung am San von den Österreichern aus allen Stellungen geworfen, über tausend russische Gefangene — Zwei deutsche Fliegeroffiziere überflogen als erste den Kanal und warfen Bomben auf ein Küstenwerk westlich Dover

6.: Die Kämpfe bei Npern, La Bassée und in den Argonnen schreiten gut fort — Südwestlich St. Mihiel ein wichtiger Stützpunkt den Franzosen entrissen — England erklärt der Türkei den Krieg — England hat Deutschlands Erklärung vom 30. Okt. betr. die Behandlung der beiderseitigen Staatsangehörigen nicht beantwortet. Es werden deshalb in Deutschland alle Engländer und Jrländer zwischen 17 und 55 Jahren festgenommen und in das

Lager Ruhleben bei Berlin gebracht

7.: Bei Ypern über tausend Franzosen gefangen — Französische Angriffe westlich Noyon sowie auf Vailly und Chavonne (Aisne) abgewiesen — Im Osten bei Kola an der Warthe drei russische Kavalleriedivisionen geschlagen — Nach heldenhaftem Widerstand ist Tsingtau gefallen

8.: Eine wichtige Höhe bei Vienne le Château (Arg.) nach wochenlangen Kämpfen von den Deutschen genommen — Kaiser Franz Josef begrüßte in einem Telegramm an den Sultan die Türkei als Verbündeten gegen die Feinde

9.: Feindliche Schiffe versuchen erneut in die Kämpfe in Flandern einzugreifen, werden aber schnell vertrieben — Wiederholte feindliche Vorstöße aus Nieuport abgewiesen — Im Osten nördlich des Wyszytyer Sees ein starker russischer Angriff abgewiesen, 4000 Russen gefangen — Nach wochenlangen ruhmreichen Kaper- und Kampffahrten, während deren sie die englische Handelsschiffahrt um 80 Millionen Mark geschädigt hat, wird die „Emden" bei den Kokos-Inseln während einer Landung von dem australischen Kreuzer „Sid-

ney" angegriffen, nach hartem, verlustreichem Gefecht in Brand geschossen und von der eignen Bemannung auf Strand gesetzt

10.: Die deutschen Angriffe bei Ypern schreiten langsam vorwärts — Die Kämpfe in Serbien haben auf der Linie Losnica - Krupanj - Ljubovija den Österreichern durchgreifende Erfolge gebracht. Der dort stehende Gegner, die dritte und erste serbische Armee mit 120000 Mann, ist auf dem Rückzug gegen Valjewo. Zahlreiche Gefangene — In Konstantinopel trafen aus Deutschland 2000 mohammedanische Gefangene ein, ehemalige französische Soldaten aus Algier und Tunis, die jetzt im türkischen Heer gegen die Feinde des Islam kämpfen wollen

11.: In Flandern wurde von den Deutschen Dixmuiden erstürmt. Die jungen Regimenter haben westlich Langemarck mit großer Tapferkeit gekämpft und die feindlichen Stellungen erobert; 2000 Gefangene — Südlich Ypern ist St. Eloi genommen; etwa 1000 Gefangene — Der französische Versuch, die Höhen bei Vienne le Château (Argonnen) zurückzuerobern, wurde unter großen Verlusten des Feindes abgeschlagen — In Mittelgali-

34

zien wurde im Anschluß an die Bewegungen des deutsch-österreichischen Heeres in Ruß.-Polen ein Teil von den Österreichern freiwillig geräumt. Przemysl ist von den Russen wieder eingeschlossen — In Serbien Eroberung der Höhen von Misar südlich Schabatz, der feindliche rechte Flügel eingedrückt, zahlreiche Gefangene, der Feind im Rückzug. Östlich Losnica-Krupanj trotz heftigen feindlichen Widerstandes fließendes Vorrücken — Ein deutsches Unterseeboot bringt auf der Höhe von Dover das englische Kanonenboot „Niger" zum Sinken

12.: Der über Nieuport vorgedrungene Feind über die Yser zurückgeworfen. Die Angriffe schreiten allenthalben fort — Die Serben befinden sich in vollem Rückzug auf Kotscheljeva und Valjevo — Der Scheich ül Islam verkündet den heiligen Krieg

13.: Bei Nieuport hat der Feind im Kampf mit deutschen Marinetruppen schwerste Verluste, 700 Franzosen gefangen. Bei Ypern 1100 Mann gefangen — Heftige französische Angriffe bei Soissons zurückgeschlagen — Im Osten erneute Kämpfe bei Lyck-Kuhnen in Entwicklung — In

Serbien Usko an der Save gestürmt, die feindliche Befestigungslinie Gomsle-Draginje in österreichischem Besitz — Schwere Schlappe französischer Truppen in Marokko bei Kanifra

14.: Die Kämpfe in Flandern werden durch regnerisches und stürmisches Wetter behindert — Guter Fortgang der Angriffe im Argonnerwald — Die Kämpfe in Ostpreußen dauern an, bei Stallupönen 500 Russen gefangen, bei Soldau noch keine Entscheidung — Bei Wloclawec (Polen) ein russisches Armeekorps geworfen, 1500 Gefangene — Das Vorrücken der Österreicher in Serbien stößt bei Valjevo auf starken Widerstand — In den letzten Kämpfen haben die Monitore „Körös", „Maros" u. „Leitha" erfolgreich mitgekämpft

15.: Im Argonnerwald wurde ein starker französischer Stützpunkt gesprengt und im Sturm genommen — In Polen und an der ostpreußischen Grenze dauern die Kämpfe fort — Ein Ausfall aus Przemysl drängt die Russen nordwärts zurück — Russische Vorstöße in den Karpathen abgewiesen

16.: Im Westen infolge von Sturm und Schneetreiben geringe Tätigkeit — Im

Argonnerwald einige größere Erfolge — Die Russen bei Stallupönen geworfen — Bei Soldau der russische Anmarsch abgewehrt — Gefecht bei Lipno am rechten Weichselufer, der Feind auf Plozk zurückgeworfen, 5000 Gefangene — Die Kämpfe bei Wloclawec entschieden: mehrere russische Armeekorps bis über Kutno zurückgeworfen, bisher 23000 Russen gefangen, 70 Maschinengewehre und viele Geschütze erbeutet — Den Serben gelingt keine Gruppierung ihrer Kräfte bei Valjevo, die Österreicher stoßen immer weiter vor, erreichten die Kolubara und besetzten Valjevo und Obrenowac. Beim Einzug in Valjevo werden den Österreichern zur Täuschung Blumen zugeworfen, denen sogleich Bomben und Gewehrfeuer folgen

17.: Die Österreicher haben in Serbien die Kolubara überschritten — Starke russische Kavallerie bei Pillkallen geschlagen — Graf Tisza ist in das deutsche Gr. Hauptquartier gereist

18.: Schloß Chatillon (franz. Lothringen) von den Deutschen im Sturm genommen — In Polen nördlich Lodz neue Kämpfe im Gang — Bei Soldau wurden die Russen zum Rückzug auf

36

Mlawa gezwungen — In den Kämpfen in Polen machte eine österreichische Heeresgruppe 3000 Gefangene

19.: Über Flandern ein Fliegerkampf; zwei feindliche Flugzeuge müssen landen, eines zum Absturz gebracht — Die Österreicher machten in Polen bisher 7000 Gefangene — Die Russen sperren durch versenkte Schiffe den Hafen von Libau

20.: Die über Mlawa und Lipno zurückgeworfenen Russen setzen ihren Rückzug fort — Ein Ausfall aus Przemysl drängte die Russen von der West- und Südfront zurück. Sie halten jetzt außer Geschützweite — In den Karpathen wurden einzelne Pässe dem Feind überlassen

21.: Die deutschen Pioniere haben bei Ypern wichtige Bahnverbindungen der Gegner zerstört — Englische Flieger machten auf die Zeppelinwerft in Friedrichshafen einen ergebnislosen Angriff — Persische Bergstämme bringen im Kaukasus-Gebiet den Russen Verluste bei — Persische Kurdenstämme erschlugen in Täbris 2000 Russen

22.: An der Grenze des Kaukasus bei Köpriköi haben die Türken die Russen vollständig geschlagen — Türkische Truppen sind nach kleineren siegreichen Gefechten am Suezkanal bei Kantara eingetroffen — Im Pandschab verkünden trotz aller Unterdrückungsversuche der Engländer die Derwische in den Moscheen den heiligen Krieg

23.: Die Kämpfe in Flandern dauern fort. Ein englisches Geschwader an der dortigen Küste von deutscher Artillerie vertrieben — Die Türken haben den Suezkanal für englische Truppentransporte gesperrt — In einem englischen Gefangenenlager wurden bei einer Revolte, wegen allzu schlechter Behandlung, fünf deutsche Kellner erschossen — Englische Unterseeboote zeigen sich bei Helsingfors — Ein großer russischer Kreuzer läuft im Hafen von Helsingfors auf Grund und sitzt fest — Die Schweiz protestiert in Bordeaux und London wegen Verletzung ihrer Neutralität durch englische Flieger — Die Proklamation des heiligen Krieges (der Fetwa) des Scheich ül Islam übt unter den Mohammedanern die tiefste Wirkung aus

24.: Das deutsche Unterseeboot „U18" an der englischen Küste durch ein englisches Patrouillenschiff zum Sinken gebracht — Graf Tisza ist von seiner Reise in das deutsche Gr. Hauptquartier zurück-

gekehrt — Österreich hat bisher 110000 Kriegsgefangene im Lande — Die mohammedanischen und christlichen Albaner (darunter Prenk Bib Doda) rufen unter Hinweis auf den heiligen Krieg zum Kampf gegen Serbien auf — In Marokko haben die Franzosen zwischen Tadla und Fez eine neue, noch schwerere Niederlage erlitten — In Ägypten soll es zu einem Aufruhr von Regimentern Eingeborener gekommen sein

25.: Im Westen bei Arras kleine deutsche Fortschritte — In Ostpreußen alle neuen Angriffe der Russen bisher abgeschlagen — In Polen ist die Gegenoffensive der Russen aus Warschau gescheitert — Die Österreicher nahmen in Polen 29000 Russen gefangen und erbeuteten 40 Maschinengewehre — Belgrad wird von neuem beschossen — Die Kriegsanleihe Österreich-Ungarns hat bisher fast 3 Milliarden ergeben — Bei Sheerneß ist das englische Linienschiff „Bulwark" angeblich infolge Explosion im Munitionsraum in die Luft geflogen — Die rumänischen Bauern der Bukowina schickten an den König von Rumänien ein von allen Gemeindevorstehern der Bukowina unterzeichnetes Schreiben, in

37

dem sie Rußland als den Feind des rumänischen Volkes bezeichnen, ihre Treue gegen Österreich und die Hoffnung aussprechen, Rumäniens Heer werde an der Seite der kaiserlichen Armeen kämpfen

26.: Bei Saint Hilaire ein französischer Angriff mit großen Verlusten des Feindes abgeschlagen — Ein deutsches Unterseeboot hat bei Cap d'Antifer nördlich Le Havre den englischen Dampfer „Primo" versenkt — In den Gefechten bei Lodz und Lowicz machte die Hindenburg-Armee 40000 Gefangene, erbeutete 70 Geschütze, 160 Munitionswagen und 156 Maschinengewehre — Die Österreicher erstürmen die starke feindliche Stellung der Serben bei Lazarevaz und machen 1200 Gefangene — Türkische Blätter veröffentlichen die Proklamation des heiligen Krieges

27 : Die türkische Armee unter Izzed Pascha (60000 Mann, 10000 Beduinen mit 5000 Kamelen) ist auf dem Marsch gegen die Sinai-Grenze im Vorrücken auf Maan begriffen

28.: In Flandern werden neue Kämpfe erwartet — Hindenburg ist zum Generalfeldmarschall ernannt worden — Ein Unterseeboot hat bei Le Havre den englischen

38

Dampfer „Malachiti", der von Liverpool kam, versenkt — Die Türken haben in der Richtung auf Batum einen Sieg erfochten und die Russen in regellose Flucht getrieben — Die Buren sollen, nach einigen erfolgreichen Gefechten, neuerdings Niederlagen erlitten haben — In Marokko sind, veranlaßt durch die gewaltsam durchgeführte Rekrutierung der Franzosen, Unruhen entstanden, die bereits zu schweren Kämpfen geführt haben

29.: Der Deutsche Kaiser ist nach dem östlichen Kriegsschauplatz abgereist — In Polen haben Teile des deutschen Heeres, im Rücken ernstlich bedroht, trotz des vor ihnen stehenden Feindes Kehrt gemacht und sich durch den bereits gebildeten Ring der Russen in dreitägigen erbitterten Kämpfen durchgeschlagen, wobei sie noch 12000 Gefangene machten und 25 Geschütze erbeuteten, ohne selbst auch nur ein Geschütz zu verlieren — Die türkische Offensive im Kaukasus schreitet vor — In den Karpathen wurden die Russen bei Homonna schwer geschlagen, 1500 Gefangene — In Serbien rücken die Österreicher unter heftigen Kämpfen gegen den verzweifelten Widerstand des Feindes vor, 1300 Mann gefangen

30.: Ein russischer Überfall bei Darkehmen (ostpreuß. Grenze) mit schweren Verlusten für den Feind zurückgeschlagen — In Polen von den Deutschen 4500 Gefangene gemacht und 18 Geschütze erbeutet — Zwischen Rußland und Japan sollen Unterhandlungen schweben wegen Entsendung eines japanischen Heeres nach Polen — Die Somali rücken gegen Ägypten vor — Feldmarschall von der Goltz wird auf die Bitte des Sultans beim Deutschen Kaiser mit seinem Stab nach Konstantinopel reisen, um am türkischen Krieg gegen Rußland und England teilzunehmen — Türkische Kavallerie und Beduinen überschritten bei Akaba die Sinai-Grenze. Die englischen Grenztruppen mußten nach heftigen Gefechten weichen

Dezember

1.: Im Westen nichts Neues — In Polen südlich der Weichsel steigerte sich die Zahl der von den Deutschen gefangenen Russen um 9500 Mann — Die Serben östlich der Kolubara nach wiederholten Offensiv-Versuchen auf der ganzen Linie geschlagen. Seit ihrem neu-

39

en Angriffskampf haben die Österreicher 19000 Serben gefangen genommen und 47 Maschinengewehre und 46 Geschütze erbeutet — Vor Przemysl wurden die Russen bei einem Versuch, sich den Vorfeldstellungen zu nähern, durch einen Ausfall zurückgeschlagen

2.: Im Argonnerwalde ein starker Stützpunkt genommen — Die Deutschen haben in Polen vom 11. Nov. bis 1. Dezember 80000 Russen gefangen genommen — Zweite Kriegstagung des Deutschen Reichstags. Weitere 5 Milliarden Kriegskredite einstimmig genehmigt. Bei lautloser Stille, nur unterbrochen von Zustimmung und Beifall, berichtet der Reichskanzler über die allgemeine Kriegslage, legt Englands Schuld am Kriege dar, gedenkt der treuen Waffenbrüderschaft Österreich-Ungarns und des neuen Bundesgenossen, der Türkei, und gelobt im Gedenken an die für das Vaterland gefallenen Helden, auszuharren bis zum letzten Hauch. Ungeheurer jubelnder Beifall des ganzen Hauses spricht ihm Zustimmung und Dank aus — Kaiser Franz Josef feiert sein sechsundsechzigjähriges Regierungsjubiläum — Belgrad gefallen

Google

Monatsblätter Juli 1914 bis Dezember 1915

Juli 1914

1	Theobald	Theobald	17	Alexius	Alexius
2	Mar. H.	Mar. H.	18	Carolina	Friedericus
3	Cornelius	Hyacinth	19	Ruth	Vinc. v. P.
4	Ulrich	Ulrich	20	Elias	Elias
5	Anſelmus	Numerian.	21	Daniel	Praxedes
6	Jeſaias	Jeſaias	22	Mar. M.	Mar. M.
7	Numer. ○	Willibald	23	Albert ●	Apollinar.
8	Kilian	Kilian	24	Chriſtina	Chriſtina
9	Cyrillus	Cyrillus	25	Jakobus	Jakobus
10	7 Brüder	7 Brüder	26	Anna	Anna
11	Pius	Pius	27	Berthold	Pantaleon
12	Joh. Gual.	Joh. Gual.	28	Innocenz	Innocenz
13	Marg.	Marg.	29	Martha	Martha
14	Bonavent.	Bonavent.	30	Beatrix ☽	Abdon
15	Ap. T. ☾	Apoſt. T.	31	German.	Jg. Loyola
16	Walter	Mar. v. B.			

Merkblatt

43 4*

August 1914

1	Petri K.	Petri K.	17 Bertram	Liberatus
2	Portiun.	Portiun.	18 Emilia	Helena
3	August	Steph. A.	19 Sebald	Sebald
4	Perpetua	Dominicus	20 Bernhard	Bernhard
5	Dominicus	Mar.Schn.	21 Anast. ●	Anastasius
6	V. Chr. ⊕	Verkl. Chr.	22 Oswald	Timotheus
7	Donatus	Cajetanus	23 Zachäus	Ph. Benit.
8	Ladislaus	Cyriacus	24 Barthol.	Barthol.
9	Romanus	Romanus	25 Ludwig	Ludwig
10	Laurent.	Laurent.	26 Irenäus	Zephyrinus
11	Titus	Tiburtius	27 Gebhard	Rufus
12	Clara	Clara	28 August. ☽	Augustin.
13	Hildebrand	Hippolytus	29 Joh.Enth.	Joh. Enth.
14	Euseb. ☾	Eusebius	30 Benjamin	Rosa
15	Mar.Hmf.	Mar.Hmf.	31 Rebekka	Raimund
16	Isaak	Rochus		

Merkblatt

45

1	Aegidius	Aegidius		16	Quatemb.	Quatemb.
2	Rahel, Lea	Stephan		17	Lambert.	Lambertus
3	Mansuet.	Mansuet.		18	Titus	Th. v. Vill.
4	Moses ☽	Rosalia		19	Januar.●	Januarius
5	Nathan.	Victorin		20	Fausta	Eustachius
6	Magnus	Schutzengf.		21	Matthäus	Matthäus
7	Regina	Regina		22	Moritz	Moritz
8	Mar. Geb.	Mar. Geb.		23	Joel	Thekla
9	Bruno	Georgon.		24	J. Empf.	J. Empf.
10	Sosthenes	Nic. v. Tol.		25	Cleophas	Cleophas
11	Gerhard	Protus		26	Cypr. ☽	Cyprianus
12	Ottilie ☾	Guido		27	Cosm.u.D.	Cosm. u. D.
13	Christlieb	Maternus		28	Wenzesl.	Wenzesl.
14	Kr.-Erh.	† Erhöhg.		29	Michaelis	Michaelis
15	Constantia	Corn. u. C.		30	Hieronym.	Hieronym.

Merkblatt

47

Oktober 1914

1	Remigius	Remigius	17	Florentin	Hedwig
2	Vollrad	Leodegar	18	Lukas	Lucas Ev.
3	Ewald	Candidus	19	Ptolem. ●	Petr. v. A.
4	Franz ⊗	Rosenkrzf.	20	Wendelin	Wendelin
5	Fides	Plazidus	21	Ursula	Ursula
6	Charitas	Bruno	22	Cordula	Cordula
7	Spes	Marcus P.	23	Severinus	Joh. v. Cap.
8	Ephraim	Brigitta	24	Salomon	Raphael
9	Dionysius	Dionysius	25	Adelh. ☽	Crispin
10	Amalia	Fr. Borgia	26	Amandus	Evaristus
11	Burkhard	Burkhard	27	Sabina	Sabina
12	Ehrenf. ☽	Maximil.	28	Sim., Jud.	Sim., Jud.
13	Coloman	Eduard	29	Engelhard	Narcissus
14	Wilhelm.	Calixtus	30	Hartmann	Serapion
15	Hedwig	Theresia	31	Ref.-Fest	Wolfgang
16	Gallus	Gallus			

Merkblatt

49

November 1914						

1	Aller Heil.	Aller Heil.	16	Ottomar	Edmund
2	All.Seelen	All. Seelen	17	Hugo ●	Greg. Th.
3	Gottl. ☉	Hubertus	18	A.Bußtag	Otto
4	Charlotte	C. Borr.	19	Elisabeth	Elisabeth
5	Erich	Emmerich	20	Amos	F. v. Valois
6	Leonhard	Leonhard	21	Mar.Opf.	Mar. Opf.
7	Erdmann	Engelbert	22	Totenfest	Eugen
8	Claudius	4 gkr.Märt.	23	Clemens	Clemens
9	Theodor.	Theodorus	24	Chryf. ☽	Chryfogon.
10	M.Luth.	Andreas A.	25	Katharina	Katharina
11	Mart. ☾	Martin, B.	26	Conrad	Conrad
12	Kunibert	Martin, P.	27	Loth	Virgilius
13	Eugen	Stanislaus	28	Günther	Sosthenes
14	Levinus	Jucundus	29	Noah	Saturnin
15	Leopold	Leopold	30	Andreas	Andreas

Merkblatt

51

Dezember 1914

1	Arnold	Eligius	17	Lazar. ●	Lazarus
2	Candid. ⊕	Bibiana	18	Christoph	Mar. Erw.
3	Caſſian	Frz. Xaver	19	Abraham	Nemeſius
4	Barbara	Barbara	20	Ammon	Ammon
5	Abigail	Sabbas	21	Thomas	Thomas
6	Nikolaus	Nikolaus	22	Beate	Flavian
7	Antonia	Ambroſius	23	Ignatius	Victoria
8	Mariä E.	Mariä E.	24	Ad., Ev. ☽	Adam, Eva
9	Joachim	Leocadia	25	Chriſttag	Chriſttag
10	Judith ☾	Melchiades	26	Stephan.	Stephan.
11	Waldemar	Damaſus	27	Joh. Ev.	Joh. Ev.
12	Epimach.	Epimach.	28	Unſch. Kd.	Unſch. Kd.
13	Lucia	Lucia	29	Jonathan	Thomas B.
14	Nicaſius	Nicaſius	30	David	David
15	Johanna	Euſebius	31	Sylveſter	Sylveſter
16	Quatemb.	Quatemb.			

Merkblatt

Januar 1915

1	Neuj. ☉ Neujahr	17	Antonius	Antonius
2	Abel, S. Macarius	18	Priska	Pet. Stuhl.
3	Enoch, D. Genovefa	19	Ferdinand	Kanut
4	Methusal. Titus	20	Fab., Seb.	Fab., Seb.
5	Simeon Telesphor.	21	Agnes	Agnes
6	Hl. 3 Kön. Hl. 3 Kön.	22	Vincent.	Vincentius
7	Melchior Lucian	23	Emer. ☽ Emerent.
8	Balth. ☾ Severinus	24	Timoth.	Timotheus
9	Caspar Julianus	25	Pauli Bek. Pauli Bek.
10	Pauli Ef. Agathon	26	Polykarp	Polykarp
11	Erhard Hyginus	27	J. Chrys.	J. Chrys.
12	Reinhold Arcadius	28	Karl	Karl d. Gr.
13	Hilarius Gottfried	29	Samuel	Fr. v. Sales
14	Felix Felix	30	Adelgunde Martina
15	Habak. ● Marcellus	31	Valer. ☉ P. Nolasc.
16	Marcellus Maurus			

Merkblatt

54

	Februar 1915				
1	Brigitta	Ignatius	15	Formosus	Faustinus
2	Mar. X.	Mar.Licht.	16	Fastnacht	Fastnacht
3	Blasius	Blasius	17	Ascherm.	Ascherm.
4	Veronica	Andreas C.	18	Concordia	Simeon
5	Agatha	Agatha	19	Susanna	Gabinus
6	Dorothea	Dorothea	20	Eucherius	Eleuther.
7	Rich. ☾	Romuald	21	Eleonora	Eleonora
8	Salomon	J.v.Math.	22	Pet. St. ☽	Pet. Sthlf.
9	Apollonia	Apollonia	23	Reinhard	Severinus
10	Renata	Scholastika	24	Quatemb.	Quatemb.
11	Euphros.	Desiderius	25	Viktorin.	Walburga
12	Eulalia	Eulalia	26	Nestor	Nestor
13	Benignus	Benignus	27	Leander	Leander
14	Valent. ●	Valentinus	28	Justus	Romanus

Merkblatt

55

März 1915

1	Albin. ☉	Albinus	17	Gertrud	Gertrud
2	Louise	Simplicius	18	Anselmus	Cyrillus
3	Kunigund.	Kunigunde	19	Joseph	Joseph
4	Adrianus	Adrianus	20	Hubert	Joachim
5	Friedrich	Friedrich	21	Benedict.	Benedictus
6	Fridolin	Viktor	22	Casimir	Octavian
7	Felicitas	Thom.v.A.	23	Eberh. ☽	Otto
8	Philem.☾	Joh.deDeo	24	Gabriel	Gabriel
9	Prudent.	Franziska	25	Mar.Verk.	Mar.Verk.
10	Henriette	Mittfasten	26	Emanuel	Ludgerus
11	Rosina	Eulogius	27	Rupert	Rupert
12	Greg.d.G.	Greg.d.Gr.	28	Gideon	Guntram
13	Ernst	Euphrasia	29	Eustasius	Eustasius
14	Zacharias	Mathilde	30	Guido	Quirinus
15	Isabell. ●	Longinus	31	Amos ☉	Balbina
16	Cyriacus	Heribert			

Merkblatt

April 1915

1	Gründ.	Gründonn.	16	Cariſus	Drogo
2	Karfreit.	Karfreitag	17	Rudolph	Anicetus
3	Chriſtian	Richard	18	Florentin	Eleuther.
4	Oſterſonn.	Oſterſonn.	19	Hermogen.	Werner
5	Oſtermtg.	Oſtermtg.	20	Sulpitius	Victor
6	Sixtus ☾	Cöleſtinus	21	Adolph	Anſelm
7	Cöleſtin	Hermann	22	Lothar ☽	Sot. u. Caj.
8	Liborius	Albert	23	Georg	Georg
9	Bogislaus	Mar. Kl.	24	Albert	Adalbert
10	Ezechiel	Ezechiel	25	Marc. Ev.	Marc. Ev.
11	Hermann	Leo d. Gr.	26	Reimarus	Cletus
12	Julius	Julius	27	Anaſtaſ.	Anaſtaſus
13	Juſtinus	Hermanng.	28	Thereſe	Vitalis
14	Tiburt. ●	Tiburtius	29	Sibylla ⊕	Petrus M.
15	Olymp.	Anaſtaſia	30	Joſua	Rath. v. S.

Merkblatt

Mai 1915

1	Philipp U. Phil., Jac.	17	Jobft	Ubaldus
2	Sigism. Athanaf.	18	Erich	Venantius
3	† Erfindg. † Erfindg.	19	Potentian. Petr. Cöl.	
4	Florian Monica	20	Anaftafius Bernardin	
5	Gotthard Pius V.	21	Prudens Felix	
6	Dietrich ☽ J.v.d.Pf.	22	Helena ☾ Julia	
7	Gottfried Stanislaus	23	Pfingftf. Pfingftf.	
8	Stanisl. Michael E.	24	Pfingftm. Pfingftm.	
9	Hiob Greg. Naz.	25	Urban Urban	
10	Gordian Antoninus	26	Quatemb. Quatemb.	
11	Mamertus Namertus	27	Beda Beda	
12	Pankrat. Pankrat.	28	Wilh. ⊕ Wilhelm	
13	Himmelf. Himmelf.	29	Maximil. Maximus	
14	Chrift. ● Bonifac.	30	Wigand Ferdinand	
15	Sophia Sophia	31	Petronilla Petronilla	
16	Peregrin. Joh.v.N.			

Merkblatt

58

Juni 1915

1	Nicomed.	Juventius	16	Justina	Benno
2	Marcellin.	Erasmus	17	Volkmar	Adolph
3	Erasmus	Fronleichn.	18	Paulina	Marc.u.M.
4	Carpas. ☾	Quirinus	19	Gerv. u. P.	Gerv. u. P.
5	Bonifac.	Bonifac.	20	Raph. ☽	Silverius
6	Benignus	Benignus	21	Jakobina	Aloysius
7	Lucretia	Robert	22	Achatius	Paulinus
8	Medardus	Medardus	23	Basilius	Edeltraud.
9	Barnim	Felicianus	24	Joh. d. T.	Joh. d. T.
10	Onuphr.	Margar.	25	Elegius	Prosper
11	Barnabas	Barnabas	26	Jeremias	Joh. u. P.
12	Claud. ●	Basilides	27	7 Schläf. ○	Ladislaus
13	Tobias	Ant. v. Pad.	28	Leo	Leo II., P.
14	Modestus	Basilius	29	Peter, P.	Peter u. P.
15	Vitus	Vitus	30	Pauli Ged.	Pauli Ged.

Merkblatt

Juli 1915

1	Theobald	Theobald	17	Alexius	Alexius
2	Mar. H.	Mar. H.	18	Carolina	Friedericus
3	Cornelius	Hyacinth	19	Ruth ☽	V. v. P.
4	Ulrich ☾	Ulrich	20	Elias	Elias
5	Anselmus	Numerian.	21	Daniel	Praxedes
6	Jesaias	Jesaias	22	Mar. M.	Mar. M.
7	Numer.	Willibald	23	Albert	Apollinar.
8	Kilian	Kilian	24	Christina	Christina
9	Cyrillus	Cyrillus	25	Jakobus	Jakobus
10	7 Brüder	7 Brüder	26	Anna ⊗	Anna
11	Pius	Pius	27	Berthold	Pantaleon
12	Joh. G. ●	Joh. Gual.	28	Innocenz	Innocenz
13	Marg.	Marg.	29	Martha	Martha
14	Bonavent.	Bonavent.	30	Beatrix	Abdon
15	Apost. T.	Apost. T.	31	German.	Jg. Loyola
16	Walter	Mar. v. B.			

Merkblatt

60

August 1915

1	Petri K.	Petri K.	17	Bertram	Liberatus
2	Portiun.☽	Portiun.	18	Emilia ☽	Helena
3	August	Steph. A.	19	Sebald	Sebald
4	Perpetua	Dominicus	20	Bernhard	Bernhard
5	Dominicus	Mar.Schn.	21	Anastasius	Anastasius
6	Verkl. Chr.	Verkl. Chr.	22	Oswald	Timotheus
7	Donatus	Cajetanus	23	Zachäus	Ph. Benit.
8	Ladislaus	Cyriacus	24	Barthol.☿	Barthol.
9	Romanus	Romanus	25	Ludwig	Ludwig
10	Laurent.●	Laurent.	26	Irenäus	Zephyrinus
11	Titus	Tiburtius	27	Gebhard	Rufus
12	Clara	Clara	28	Augustin.	Augustin.
13	Hildebrand	Hippolytus	29	Joh.Enth.	Joh.Enth.
14	Eusebius	Eusebius	30	Benjamin	Rosa
15	Mar.Hmf.	Mar.Hmf.	31	Rebekka	Raimund
16	Isaak	Rochus			

Merkblatt

61

1	Aegidius	Aegidius	16	Quat. ☽ Quatemb.
2	Rahel, Lea	Stephan	17	Lambert. Lambertus
3	Mansuet.	Mansuet.	18	Titus Th. v. Vill.
4	Moses	Rosalia	19	Januarius Januarius
5	Nathan.	Victorin	20	Fausta Eustachius
6	Magnus	Schutzengf.	21	Matthäus Matthäus
7	Regina	Regina	22	Moritz Moritz
8	Mar. Geb.	Mar. Geb.	23	Joel ♃ Thekla
9	Bruno ●	Georg.	24	J. Empf. J. Empf.
10	Sosthenes	Nic. v. Tol.	25	Cleophas Cleophas
11	Gerhard	Protus	26	Cyprianus Cyprianus
12	Ottilie	Guido	27	Cosm. u. D. Cosm. u. D.
13	Christlieb	Maternus	28	Wenzesl. Wenzesl.
14	Kr.-Erh.	†Erhöhg.	29	Michaelis Michaelis
15	Constantia	Corn. u. C.	30	Hieronym. Hieronym.

Merkblatt

62

Oktober 1915

1	Remig. ☾	Remigius	17	Florentin	Hedwig
2	Vollrad	Leodegar	18	Lukas	Lucas Ev.
3	Ewald	Candidus	19	Ptolem.	Petr. v. A.
4	Franz	Rosenkrzf.	20	Wendelin	Wendelin
5	Fides	Plazidus	21	Ursula	Ursula
6	Charitas	Bruno	22	Cordula	Cordula
7	Spes	Marcus P.	23	Severin ○	J.v.Cap.
8	Ephr. ●	Brigitta	24	Salomon	Raphael
9	Dionysius	Dionysius	25	Adelh.	Crispin
10	Amalia	Fr. Borgia	26	Amandus	Evaristus
11	Burkhard	Burkhard	27	Sabina	Sabina
12	Ehrenf.	Maximil.	28	Sim., Jud.	Sim., Jud.
13	Coloman	Eduard	29	Engelhard	Narcissus
14	Wilhelm.	Calixtus	30	Hartmann	Serapion
15	Hedwig ☽	Theresia	31	Ref.-Fest ☾	Wolfg.
16	Gallus	Gallus			

Merkblatt

63

November 1915

1	Aller Heil.	Aller Heil.	16	Ottomar	Edmund
2	All. Seelen	All. Seelen	17	Hugo	Greg. Th.
3	Gottl.	Hubertus	18	A. Bußtag	Otto
4	Charlotte	C. Borr.	19	Elisabeth	Elisabeth
5	Erich	Emmerich	20	Amos	F. v. Valois
6	Leonhard	Leonhard	21	M. Opf. ⊕	Mar. Opf.
7	Erdmann ●	Engelb.	22	Totenfest	Eugen
8	Claudius	4 gfr. Märt.	23	Clemens	Clemens
9	Theodor.	Theodorus	24	Chryf.	Chryfogon.
10	M. Luth.	Andreas A.	25	Katharina	Katharina
11	Mart.	Martin, B.	26	Conrad	Conrad
12	Kunibert	Martin, P.	27	Loth	Virgilius
13	Eugen	Stanislaus	28	Günther	Softhenes
14	Levinus ☽	Jucund.	29	Noah ☾	Saturn.
15	Leopold	Leopold	30	Andreas	Andreas

Merkblatt

64

Dezember 1915

1	Arnold	Eligius	17	Lazarus	Lazarus
2	Candid.	Bibiana	18	Christoph	Mar. Erw.
3	Cassian	Frz. Xaver	19	Abraham	Nemesius
4	Barbara	Barbara	20	Ammon	Ammon
5	Abigail	Sabbas	21	Thomas	Thomas ☽
6	Nikolaus	Nikol. ●	22	Beate	Flavian
7	Antonia	Ambrosius	23	Ignatius	Victoria
8	Mariä E.	Mariä E.	24	Adam, Ev.	Adam, Eva
9	Joachim	Leocadia	25	Christtag	Christtag
10	Judith	Melchiades	26	Stephan.	Stephan.
11	Waldemar	Damasus	27	Joh. Ev.	Joh. Ev.
12	Epimach.	Epimach.	28	Unsch. Kd.	Unsch. Kd.
13	Lucia	Lucia ☾	29	Jonathan	Thomas ☽
14	Nicasius	Nicasius	30	David	David
15	Johanna	Eusebius	31	Sylvester	Sylvester
16	Quatemb.	Quatemb.			

Merkblatt

Des Taschenbuchs Literarischer Teil

5*

Google

Chronik
Von Karl Lamprecht

Dieser Krieg ist ein anonymer Krieg, ein Krieg, wie er in dieser Weise noch niemals auf Erden erlebt worden ist. Man weiß kaum Namen der Heerführer, die Schlachten sind namenlos, es erklingt in ihnen kein Lied individueller Empfindung mehr, wie die Erzeugnisse jener Liederkunst, deren typisches Beispiel „Steh ich in finstrer Mitternacht" war; eine ungeheure Monotonie, wie der Orgelton eines langen unablässigen Trauermarschs, liegt über ihnen.

Ist es eine Besonderheit dieses Krieges, oder haben wir nur den Eindruck einer allgemeinen Erscheinung in besonderer Stärke vor uns? In Leipzig erhebt sich seit dem Jahre 1913 ein gewaltiges Denkmal zur Erinnerung an die Gefallenen der Völkerschlacht. Auf lindem Hügel steigt es hinter dem Spiegel eines stillen Sees von festgeführten architektonischen Linien auf, turmhoch und höher aus granitnen Quadern geschichtet, mit einer Reihe Skulpturen und einer Reihe symbolischer Bilder geziert. Aber vergebens würdest du unter diesen Bildern das Bildnis bekannter Helden, das Bildnis etwa gar einstmals regierender Herrscher suchen! All diese Standbilder sind nur Ausdruck großer nationaler typischer Eigenschaften oder Bedürfnisse, und auch da, wo sie sich zum individuellsten Ausdruck steigern, in dem herrlichen Großrelief des heiligen Michel, der drohend und streng auf den Versammlungsort vor dem Denkmal, dies neue Rütli der Nation aus dem zwanzigsten Jahrhundert, hinabschaut, würdest du wohl die starke Verkörperung des Furor teutonicus, nicht aber mehr als die Charakteristik der Nation erblicken.

69

Es sind die gleichen Erscheinungen in Krieg und Frieden. Die Signatur der Zeit ist demokratisch.

In solchen Zeiten einen Krieg in der Chronika seiner einzelnen Ereignisse, zumal wenn er noch nicht abgeschlossen ist, zu begleiten, hat sein Mißliches und ist zugleich bedeutungslos. Wie in den Kämpfen, die sich endlos hinziehen, kontinuierlich gleich den unbewußten großen Erscheinungen kultureller Entwicklung, die von Periode zu Periode und von Zeitalter zu Zeitalter nur langsam sich wandelnd vorwärtsstreben, — so erscheint auch hier die Masse der einzelnen Ereignisse im Speziellen und Individuellen versenkt in das Typische des ganzen Vorganges, und darum kaum bis zur Darstellung des Einzelnen hin, wenigstens bei übersichtlicher chronikalischer Darstellung, erreichbar. Man sieht wohl: unter diesen Umständen, bei einer solchen Form des großen Völkerringens werden die wahrhaft durchschlagenden Ereignisse und diejenigen vor allem, deren Wert heute schon während des noch fortgehenden Kampfes andauert, nicht in den flüchtigen Bildern des Kampfes, sondern in dem Hervortreten großer kultureller Erfahrungen zu finden sein.

Suchen wir von dieser Seite her einen Überblick über das zu gewinnen, was man schon heute als geschichtlich feststehend in diesem Kriege buchen kann, so ist auf dem Gebiete der inneren Geschichte die auffallendste und zu gleicher Zeit noch am meisten greifbare Tatsache die Haltung der Sozialdemokratie. Verfolgt man die Entwicklung des demokratischen Gedankens in Deutschland rückwärts, so wird man im achtzehnten Jahrhundert kaum auf mehr als die allgemeine Stimmungsgrundlage stoßen, die unter Germanen für eine Demokratie der Sitte unter Zu-

70

laſſung der fürſtlichen Gewalt eigentlich niemals
gefehlt hat. Die letzten Grundlagen, auf denen dieſe
Stimmung ſich von Urzeiten her in leiſen Spuren
bis zum achtzehnten Jahrhundert gerettet hatte,
ſind bei den deutſchen Stämmen überall in gleicher
Weiſe kriegeriſchen Urſprungs geweſen. Es iſt im
Grunde die Kameradſchaft und die gemeinſame An-
näherung der Gemüter, welche eine ſtändige Gemeinſchaft des Todes und Lebens zwiſchen Kämpfenden ſchafft, die den demokratiſchen Ton des deutſchen Lebens beſtimmt hat. Unter dieſen Umſtänden
begreift ſich, von welcher Bedeutung die Einfüh-
rung der allgemeinen Wehrpflicht ſein mußte, auch
wenn ſie nur, ſoweit die Regierenden in Betracht
kamen, als Zwangstatſache aus den ungeheuren
Nöten und Kämpfen gegen Napoleon emporſtieg.
Obwohl die ſtaatliche Macht durch einen Ausbau
der Wehrpflicht im hohen Grade vermehrt werden
mußte, hat man doch eben in dem klaſſiſchen Lande der Entwicklung der allgemeinen Dienſtpflicht,
in Preußen, auf deren Ausbau im Frieden merk-
würdig wenig Gewicht gelegt. Gleichwohl konnten
die allgemeinen Grundlagen bei der beſtehenden
Rivalität zwiſchen Preußen und Öſterreich wie dem
fragwürdigen Charakter des Deutſchen Bundes kaum
beſeitigt werden. So paſſierte denn die allgemeine
Wehrpflicht die Entwicklung des Liberalismus und
den Anfang der deutſchen Einheitsbewegung, ſo
überſtand ſie die Jahre 1848/50 und erhielt darauf
in dem Augenblick, in dem die diplomatiſche und mili-
täriſche Löſung der Einheitsbewegung in Preußen
ins Auge gefaßt wurde, ſogar, wie die militäriſchen
Entwürfe Kaiſer Wilhelms des Alten bezeugen, alsbald eine ſtark erhöhte Bedeutung. Als dann aber

71

im Jahre 1866 das Schicksalswort für die Einigung Deutschlands wirklich gesprochen werden mußte, da ergab sich nicht bloß der Appell an die Wehrpflicht als notwendig, sondern es stellte sich zu gleicher Zeit als ein Korrelat, das für die Lösung der kleindeutschen Frage unter preußischer Führung notwendig war, das Angebot des allgemeinen Wahlrechts an die Nation als notwendig ein. Das Eingreifen dieser Ingredienz in den chaotisch brodelnden Kessel der deutschen Einheitsbewegung im Jahre 1866 hat gewißlich zu den schwersten Entschlüssen, die Bismarck je gefaßt hat, gehört: es ist zu gleicher Zeit der sicherste Beweis für seine geniale staatsmännische Veranlagung. Von diesem Augenblick an war die demokratische Entwicklung Deutschlands, wollte man nicht eine Revolution hervorrufen, gesichert. Das Siegel auf diese ganze Bewegung aber hat das Verhalten der Sozialdemokratie im Beginn des großen Ringens im Jahre 1914 gesetzt. Es ist die ungeheure verstärkte Position, mit der die Demokratie des vierten Standes aus dem Kriege hervorgehen wird, die ihr nicht mehr genommen werden kann, da die Verdienste, die sich auf ihrer Grundlage entwickelt haben, unbestreitbar sind und in vielen Tausenden eisernen Kreuzen an Arbeiterbrust zutage treten. Dies ist das erste feststehende weltgeschichtliche Ereignis des Krieges. Es konnte schon vorher kein Zweifel darüber bestehen, daß wir unserer Verfassung nach eines der freiesten, wenn nicht das freieste Volk der Welt waren. Nur aus dieser Tatsache heraus ist der ungeheure sittliche Aufschwung zu verstehen, den uns der Krieg, diese eine, die gesamte Nation angehende Tat seit langen Zeiten, brachte. Nach dem Kriege wird sich dies alles noch

72

viel mehr geltend machen, auch die Nationen des
europäischen Westens wie die Angehörigen der Ver-
einigten Staaten werden sich daran gewöhnen müffen, in uns nicht nur ebenbürtige, fondern an Frei-
heitsbewußtfein und Freiheitsrechten überlegene
Bürger der Welt zu fehen.

Der Verlauf des Krieges brachte dann noch einige durchaus unbeftreitbare Erfcheinungen, die eben-
fofehr von dem reinen und gefunden Charakter der
Nation zeugen, wie fie vom hiftorifchen Stand-
punkte aus von befonderem Intereffe find. Das
Merkwürdigfte gewiß, in jenem Zufammenhang mit
dem demokratifchen Charakter des Krieges, ift das
Hervortreten von Urgefühlen. Der Hiftoriker wird
auf Schritt und Tritt an die feelifche Haltung der
germanifchen Urzeit erinnert. Nirgends kam dies
vielleicht mehr zu Tage als im Volkslied. Ganz alte
Formen germanifchen Denkens, befonders die Pa-
rallelifierung äußerer Vorgänge mit inneren Bewegungen, begannen wieder zu herrfchen. Wer das
alte weftfälifche Lied:

> In dem Waffer fließt ein Fifch,
> Glücklich ift, wer das vergißt;
> Nachtigall, fchöner Schall,
> Schöne Mädchen gibt's überall

wohl zu interpretieren weiß, der wird auch die Zeilen/
in dem milliardenmal gefungenen Liede „Ich hatt'
einen Kameraden" verftehen, welche lauten:
„Die Vöglein im Walde, fie fangen fo wunder- wun-
> derfchön.
In der Heimat, in der Heimat, da gibt's ein Wie-
> derfehn."
Gewiß find diefe Zeugniffe uralten Denkens nicht
erft im Kriege felbft entftanden; weithin haben fie

73

das Phantasieleben unserer unteren Kreise erfüllt
bis auf den heutigen Tag. Aber das Hervortreten
dieser Grundlagen und ihre musikalische Ausfüllung
mit teilweise sogar noch choralmäßigen Melodien,
ja das direkte Marschsingen von Chorälen ist charakteristisch.

Nicht minder charakteristisch ist das unmittelbare
Hervortreten des religiösen Moments. Wer die
Stimmungen im Anfang des Krieges in Deutschland erlebt hat, sei er Deutscher oder möge er Frem-
der gewesen sein, der wird wissen, daß in den hoch-
gehobenen religiösen Gefühlen dieser Tage die
Furcht kaum eine Rolle gespielt hat. Gewiß waren
es Tage voll starken Ernstes und daher auch voll
innerer Einkehr. Aber sie waren getragen von
reinem Gewissen und von Zuversicht. Um so be-
zeichnender war für sie, daß jene Höhe voll sittlicher
Reinheit alsbald in das Religiöse umschlug oder,
wie wir vielleicht auch sagen dürfen, in jenen urzeit-
lich germanischen durch und durch kriegerischen Fa-
talismus, der bei beginnendem Kampf das eigene
Schicksal in den Willen der Gottheit stellt. Dies war
ehedem das Urmotiv, aus dem her der Deutsche den
Kampf als Gottesdienst betrachtete und in ihn pro-
zessionsgleich unter Absingung religiöser Lieder ein-
zog. Aber auch unsere Tapferen, und gerade die
jungen Regimenter von besonders hochstehender
Rekrutierung, sind unter dem Gesange vaterländi-
scher Lieder dem Tode entgegengezogen. Indem
so, dem Einzelnen völlig unbewußt, wie ein starker
Geruch erlesenster Art, dem man sich gar nicht zu
entziehen vermochte, Empfindungen höchster und
reinster Art in die Herzen der Nation einzogen, wurde jener Adel der Gesinnung erzeugt, der in den

74

erſten Monaten des Kampfes und im Bereiche der Kämpfenden und des Heeres auch noch ſpäter jeden im Grunde zu einem Helden machte. Hier offenbarten ſich Vorausſetzungen künftigen Sieges.

Aber zugleich mit dieſem Idealen und Großen der Urzeit traten wie im Mitſingen von Tönen, die im Anſturm eines ſtarken Brauſens ihre Stimmen einmiſchen, zu gleicher Zeit die feinſten Erzeugniſſe jüngerer, hoher Zeiten unſerer Kulturentwicklung hervor. Sehr bezeichnend war dafür, daß das Mittelalter eigentlich ſchwieg und auch aus der Reformation es nicht ſo laut tönte, wie man zunächſt hätte erwarten können. So ſchwieg denn infolgedeſſen auch die Gegenſätzlichkeit der Kirchen, und keine Spur konfeſſionellen Haders erhob ſich. Hervor dagegen trat die eine Männlichkeit des großen deutſchen Reformators, jenes ungeheuren Kämpfers für höchſte geiſtige Werte, und das Kampflied Luthers, eine der unvergleichlichſten Schöpfungen vollendeter Gemeinſchaft von Dichtung und Muſik, ertönte auch aus katholiſcher Kehle. Ganz in den Vordergrund aber trat zur Verſtärkung der Gefühle der Gegenwart der weite und große Ideeninhalt jener idealiſtiſchen Zeiten, deren hohe Entwickluug uns vor einem Jahrhundert den Ruhm des Volkes der Dichter und Denker erworben hatte. Es war der Geiſt der großen Ahnen, Herders und Kants, Goethes und Schillers, Mozarts und Beethovens, Fichtes und Hegels, der leibhaft lebendig wurde und unter uns trat mit der Gewalt faſt des Neuen. Von hier gingen die ſtarken Ströme aus, die dem Ganzen der neuen Empfindung Halt gaben und ihm die Möglichkeit ſicherten einer ſtändigen Einwirkung zunächſt auf die innere Entwicklung der Nation in kommenden Zeiten.

75

An dieser Stelle liegen zu gleicher Zeit die Beziehungen, von denen aus übersehen werden kann, was bis auf heute als sicherer Wert für die Konstituierung unserer Beziehungen zur Welt der Staaten außer uns gewonnen worden ist. Man weiß, daß der Zusammenhang unserer geistigen Beziehungen mit der Außenwelt seit den ersten Tagen schon nach der Kriegserklärung durch ein ungeheures, täglich erneutes Lügengewebe, vor allen Dingen unserer westeuropäischen Feinde, überdeckt und gestört wurde. Die Zeit der Wirkung dieser überaus häßlichen Erscheinungen ist jetzt der Hauptsache nach vorüber. Wir können es Franzosen und Engländern überlassen, sich zu schämen, und vermögen höchstens hinzuzufügen, daß das gallische Temperament von jeher in schwachen Beziehungen zur Wahrhaftigkeit gestanden hat, und daß schon die Angelsachsen wegen einer selbst durch ihre Gesetze nicht eingeschränkten Lügenhaftigkeit sich von allen anderen deutschen Stämmen in wenig vorteilhafter Weise unterschieden: grundsätzlich waren nach angelsächsischen Quellen bei ihnen nur Bischöfe und Könige verpflichtet, wahrhaftig zu sein.

Indes hat uns der Kampf gegen jenes dichte Gespinst von Lügen doch mindestens dies eine gelehrt, daß wir auf ihn nicht vorbereitet waren und daß hier starke Änderungen in dem Tätigkeitsbereich wie in der Energie des Auswärtigen Amtes eintreten müssen, soll wirklich eine pflegliche Behandlung des nationalen Rufes durchgeführt werden, auf welche unser Volk einen wohlerworbenen Anspruch besitzt. — Sehen wir von diesen Dingen ab, die ja immerhin, wenn auch kulturgeschichtlich bedeutungsvoll, doch nur eine Episode bilden, so werden wir als

76

erstes großes Ereignis auf internationalem Gebiete
die Tatsache buchen müssen, daß das gesamte latei-
nische Slawentum gegen Rußland zu der zentral-
europäischen Kultur gehalten hat, obwohl diese
deutsch war. Es ist das eine der charakteristischsten
Erscheinungen, die gewiß auch für die spätere Entwicklung Österreichs nicht ohne Bedeutung bleiben
wird. Sie sei einstweilen nur gebucht und aus ihr
der Schluß gezogen, daß nicht nur die germanische,
sondern auch die slawische Welt in dem Zarentum,
und in ihm gewiß mehr als in Rußland an sich, den
Feind der europäischen Kultur erblickt.

Gegenüber diesen Erscheinungen des Ostens ist
man augenblicklich in Deutschland geneigt, den
Dingen im Westen bei weitem mehr Aufmerksam-
keit zu schenken. Handelt es sich doch hier um die
Schwächung Englands, dem gegenüber die Nation
von einem so ehrlichen Haß beseelt ist, wie er nur
unter Verwandten vorzukommen pflegt. Was auf
diesem Gebiete zu erreichen sein mag, wird, da es
sich in England um die Besiegung einer Weltmacht
handelt, wohl nicht zu geringem Teile auch von dem
Verlauf der universalen Bewegungen abhängen.
Schon sehen wir in dieser Beziehung die Türkei in
die Arena steigen; nur wenig fehlte daran, daß nicht
minder auch China teilnahm. Dabei versteht sich,
daß mit dem Eintritt Chinas die gesamten Fragen
der politischen Haltung in den Gestadeländern des
Stillen Ozeans auch auf der amerikanischen Seite
eröffnet gewesen wären. Ob uns ein späteres Sta-
dium des Krieges auch diese Seite der Dinge eröffnen und in irgendeiner Weise vorführen oder gar
zur Lösung bringen wird, steht dahin. Für die Be-
trachtung in diesem Augenblick ist es immerhin schon

77

nötig, die Möglichkeiten auf diesem Gebiete zu übersehen und aus dem Interesse, das wir an den Vorgängen des Stillen Ozeans haben können, eingehend zu bedenken.

Es sind Zukunftsfragen, in die wir damit eingetreten sind. Sie liegen jenseits der bescheidenen Aufgabe des Chronisten, und somit ist es für ihn Zeit, sich zu verabschieden. Er tut dies in der Überzeugung, daß, wie auch immer die Einzelheiten des Krieges und die ihn umschließenden politischen Konstellationen verlaufen mögen, immer mehr der Gedanke sich herausarbeiten wird, daß England für ein egoistisches Ideal der eigenen Weltherrschaft, Deutschland aber für die Selbständigkeit und Freiheit nebeneinanderstehender großnationaler Kulturen kämpft; und darum, indem es die Freiheit der Völker im höchsten Sinne, die Sicherheit und Selbständigkeit ihrer nationalen geistigen Existenz auf die Fahne schreibt, an der Spitze des Fortschritts steht und nicht so sehr Führer wie Vorkämpfer aller großen menschheitlichen Geschicke sein wird.

Leipzig, 20. II. 1914

78

Oesterreich
Von Hermann Bahr

Dieser Krieg hat eine unheimliche Kraft, alles klar-
zustellen. Er bläst scharf drein: was nicht standhaft
ist, zergeht; nur Wesen wird übrigbleiben, die Welt
wird hell geworden sein. Und wir werden in Wirk-
lichkeiten leben, statt in Redensarten, die jahrelang
so stark über uns waren, daß wir ihnen mehr als
unseren eigenen Augen trauten.

Von diesen Redensarten war keine mächtiger in
Europa als die dümmste, die von Österreichs Zerfall.
Unbesehen nahm sie jeder hin, und sie hatte mit der
Zeit ein wahrhaft klassisches Ansehen erlangt. Nur
die Person eines durch sein Alter geheiligten, durch
schweres Leid Erbarmen findenden Monarchen,
hieß es, hielt den schon aufgelösten Staat noch äu-
ßerlich zusammen, den man im Geiste schon ver-
teilte. Wer dabei fand, daß es dann notwendig sein
würde, ihn durch ein ähnliches Gebilde zu ersetzen,
glaubte uns damit noch eine besondere Freundlich-
keit zu erweisen. Es hat mich oft belustigt, die ver-
wunderten Mienen zu sehen, wenn ich solchen
Freunden auf ihren trüben Trost vergnügt erwi-
derte: „Das ist ein kleiner Irrtum, denn was wir
durchmachen, sind nämlich gar nicht die Wehen des
Todes, sondern einer neuen Geburt; wir gehen
nicht zu Ende, wir fangen jetzt erst wieder an!"
Man hatte dann im besten Falle ein schonendes
Schweigen für mich; ich schien unheilbar.

Österreich war ein halbes Jahrhundert lang falsch
orientiert gewesen: nach Nordwesten, statt nach Süd-
osten. Es hatte sich in den Wahn verrannt, einen
Beruf in Deutschland zu haben. Dies so sehr, daß,
als der Wahn an den preußischen Waffen zerbrach,

79

auch kluge Männer in Österreich glaubten, es hätte
fortan überhaupt keinen Beruf mehr, ja gar kein
Recht, noch da zu sein. Es blieb aber da, zu seiner
eigenen Verwunderung. In dieser schmerzlichen Verwunderung ist meine ganze Generation aufgewach-
sen. Wir waren Kinder, als die Schlacht bei König-
grätz geschlagen wurde. Da hörten wir unsere Väter klagen: nun hat Österreich vertan! Wem die
Haltung von Österreichern mißfällt, ihre Unsicher-
heit, ihr Mißmut, ihre Wehleidigkeit, die Neigung,
sich zu unterschätzen, das Bedürfnis, fortwährend
durch Beifall ermuntert zu werden, die Selbstironie,
die doch zum guten Teil wieder Eitelkeit ist, der
frage sich doch einmal, was junge Menschen leiden
müssen in einem Lande, das den Glauben an sich
verloren hat! Wir hörten ja jeden Tag, daß wir
eigentlich keinen Sinn und keinen Zweck mehr hätten. Wir hätten uns aufgeben müssen, konnten aber
auch das nicht, denn dazu fühlten wir uns wieder
zu stark. Alles was uns täglich vorgesagt wurde,
hinderte nicht, daß wir uns stark fühlten. Wir fühlten eine Kraft in uns, zu der uns alles Recht abge-
sprochen worden war. Das gab eine Verwirrung,
an der mancher zugrunde gegangen ist. Das Österreich unserer Väter hatte sich in Deutschland als Tenor versucht, aber das hohe C war ihm stecken geblieben, und als jetzt wir singen wollten, ließen uns
die Väter nicht, weil doch entschieden sei, daß Österreich keine Stimme habe. Auf die einfache Lösung
aber, einmal zu versuchen, ob wir, wenn schon keinen
Tenor, nicht vielleicht den schönsten Baß haben könn-
ten, kamen wir lange nicht. Das Singen sollte uns
seitdem durchaus verboten sein! Wir haben es uns
erst ertrotzen müssen. Wir standen dabei von An-

80

fang an in dem fatalsten Verhältnis zum alten Österreich. Dieses alte Österreich hatte seine Kraft falsch
angewendet und empfand es nun als eine Pietät-
losigkeit von uns, wenn wir daran gingen, unsere
Kraft recht anzuwenden. Lieber als seinen Irrtum
einzugestehen, war es bereit, sich aufzugeben. Um
nur nicht zugeben zu müssen, daß es seine Kraft ver-
geudet hatte, bestritt es diese Kraft, es leugnete, daß
Österreich Kraft besaß, es verbiß sich grimmig in
den Wahn von Österreichs Schwäche. Der alte
Widerspruch zwischen Vätern und Söhnen wurde
für unsere Generation zur Kraftprobe. Durch jedes Zeichen von Kraft, das wir gaben, fanden sich
unsere Väter beschämt. Es galt ihnen für ausge-
macht, der Österreicher sei dazu verdammt, in der
Ecke zu stehen, als der Zuschauer Europas. Wir
wieder, um nur vor allem unsere Kraft zu beweisen, wollten um jeden Preis überall mittun. Diesen
unseren Willen, in Europa mitzutun, zunächst gar
nicht um irgendeines Vorteils willen, sondern um
der bloßen Tat willen, bloß um durch die Tat uns
selber unsere Kraft zu beweisen, empfanden die Väter als einen Verrat an Österreich. Es war wirklich die verkehrte Welt: wer an Österreich nicht mehr
glaubte, hieß ein Patriot, und wer sich vermaß, die
Kraft Österreichs zu zeigen, stand im schlimmsten
Verdachte. Es gab einen einzigen Ausweg für uns:
wir schlugen uns ins Ästhetische. Die ganze Bewegung der Neunziger Jahre, scheinbar um Kunst, ist
im Grunde politisch gewesen, es ging um den Beweis, daß Österreich noch die Kraft hatte, aus Eige-
nem zu leben, es ging darum, Österreich zu formen.
Daß man davon nur gerade in der Politik nichts
gemerkt hat, ist echt österreichisch. Denn was bei

uns Politik heißt, ist immer bloß eine Kulisse, die
das verdeckt, was wirklich Politik ist. Die Männer
der neunziger Jahre, Burckhard, Hugo Wolf und
Gustav Mahler, Otto Wagner mit Olbrich und
Hoffmann, der Kreis um Klimt, Roller, Moser und
unsere jungen Dichter, taten Österreich dar und machten dem Österreicher erst wieder Lust und Mut zu
Österreich. So wuchs nun in allen österreichischen
Völkern allmählich ein neues Geschlecht auf, merk-
würdig dadurch, daß es ebenso stark für sein Volk,
wie für die Gemeinschaft aller dieser Völker emp-
findet. Der Deutsche dieser Generation in Österreich
ist vor allem deutsch gesinnt, der Tscheche tschechisch,
aber Deutsche wie Tschechen haben nun ein ebenso
lebendiges Gefühl, mit den anderen Völkern ver-
wachsen zu sein. Jedes dieser Völker ist durch das
gemeinsame Leben mit allen diesen anderen Völkern
wesentlich bestimmt worden und würde, dem ge-
meinsamen Leben mit den anderen entrissen, an sich
selber Schaden leiden. Denkt man sich den österreichischen Deutschen aus dem Deutschtum weg, so
würde das Deutschtum dadurch ärmer, es hätte eine
Farbe verloren. Denkt man sich den Tschechen aus
dem Slawentum weg, so verstummt im slawischen
Chor eine Stimme. Gerade die Farbe aber, die der
österreichische Deutsche in das Deutschtum bringt,
gerade den Ton, den der Tscheche dem Slawentum
gibt, hat der österreichische Deutsche, hat der Tscheche
von Österreich. Die Kohäsion der in Österreich zu-
sammenwohnenden, aneinander lebenden, ineinan-
der dringenden Völker hat in jedem dieser Völker
Kräfte, Begabungen, Tüchtigkeiten entwickelt, deren keines dieser Völker jemals für sich allein fähig
gewesen wäre. Die Italiener ausgenommen, haben

82

alle Nationen Österreichs durch Österreich national
gewonnen. Daß sie zu Österreich gehören, ist ein
Vorteil nicht bloß für sie selbst, sondern auch für
den Grundstock einer jeden; die meisten fühlen sich
ja als Ausläufer eines solchen unösterreichischen
Grundstocks. Aus Nationalismus gerade muß also jede der in Österreich wohnenden Nationen zu
Österreich halten. Im höchsten geistigen Sinne ist
Österreich eine nationale Notwendigkeit für jede
seiner Nationen. Diese Einsicht fehlt ihnen freilich
noch, sie hantieren noch immer gern mit den ver-
lebten Begriffen eines volkswidrigen Nationalismus, es ist noch immer nicht allen Deutschen, nicht
allen Tschechen in Österreich bewußt, daß sie um so
bessere Deutsche, um so bessere Tschechen sind, je bessere Österreicher sie sind, und daß sie um so stärker
werden in ihrer Volkseigenart, je stärker Österreich
wird. Aber die Jugend der Völker fühlt es. Wer nach
1880 in Österreich geboren ist, hat es immer schon
irgendwie dumpf gefühlt, fast mit einer geheimnisvollen Bangigkeit oft. Und morgen werden es alle
wissen. Denn jetzt ist es ja erschienen, überwältigend.
    Dieser Krieg stellt alles klar, löscht die bloßen
Vorstellungen aus und läßt die Wirklichkeit erscheinen. Das zerfallene Österreich ist plötzlich einig, jeder
Zwist vergessen, Eintracht in allen Völkern. Slawen
und Deutsche jauchzen einander zu, im selben Schüt-
zengraben beisammen, im selben Lazarett. Jeder
ist plötzlich voll Eifer, die Sprache des anderen zu
lernen, einer singt des anderen Lieder, sie sind Brüder. Hat die Not ein Wunder getan? Sie hat sie
bloß sehen gelehrt, sie hat ihnen bloß die Wirklichkeit entdeckt. Sie wissen jetzt auf einmal, daß Österreich, so oft totgesagt, lebt, und wo: in ihnen allen.

83   6*

Und wenn sie nun wieder heimkommen aus den Schützengräben und Lazaretten, wo jetzt Tiroler und Böhmen, Steirer und Polen, Salzburger und Kroaten auf Leben und Tod beisammenliegen, werden sie dann das wieder vergessen? Geht dann der edle Streit wieder los, ob die Straßentafel deutsch oder tschechisch sein soll? Wird dann wieder zum Sturm geblasen, wenn drei fremde Turner in einen Ort kommen? Es gibt unter uns unverbesserliche Nörgler, die es sich nicht nehmen lassen, morgen werde ja doch wieder gestern sein. Nicht einmal sie können leugnen, was wir ja mit Augen sehen, doch meinen sie, es sei nur ein Geschöpf der Begeisterung, das mit ihr, sobald die Waffen schweigen, gleich wieder verweht sein wird. Mir scheint aber, daß sie damit diese Begeisterung mißverstehen. Uns begeistert nicht der Haß gegen Rußland. Polen mögen Rußland hassen, und Erinnerungen schüren vielleicht auch in Ungarn alten Haß gegen Rußland an, das einst die ungarische Revolution bezwungen hat. Wir deutschen Österreicher aber und gar die Tschechen, die Slowaken, die Kroaten, hassen das russische Volk nicht. Warum sollten wir ein Volk hassen, das niemals unser Feind war? Weil es der „Hort der Reaktion" ist? Solche Redensarten machen sich in Zeitungen gut, dringen aber nicht in die Tiefen, wo Haß und Liebe von Völkern entstehen. Wir wurden angegriffen, so mußten wir uns wehren. Dieses Gefühl beherrschte den ersten Augenblick. Gleich kam aber noch ein anderes Gefühl dazu: Freude, daß wir uns endlich einmal wehren durften, und zeigen, was wir können. In dieser Freude, unsere Kraft zu zeigen, fanden wir uns. Und daß wir uns endlich einmal fanden, das be-

84

geiftert uns. Daß wir endlich einmal eins find, begeiftert uns. Nicht Haß, fondern Liebe begeiftert
uns: wir haben entdeckt, daß wir einander lieben.
Wir wollen nicht voneinander laffen, es täte uns
allen zu weh; das haben wir entdeckt. Es muß uns
irgend etwas gemeinfam fein, das uns fo ftark zu-
fammenhält, daß wir nicht auseinander können.
Wir haben entdeckt, daß wir ein Vaterland haben.
Das war feit 66 in Vergeffenheit geraten. Jetzt ift
es wieder da. Und ein folches Erlebnis follte jemals
wieder vergehen können, fo lange auch nur noch ein
Einziger übrig ift, der fein Zeuge war?

Ob wir freilich diefes Erlebnis nun auch befruch-
ten werden, ift ungewiß. Man hört oft fagen, daß
Öfterreich fchlecht regiert wird. Das trifft nicht zu.
Öfterreich wird überhaupt nicht regiert; es wird
nur allenfalls verwaltet. Regieren heißt wollen.
Was bei uns regieren heißt, ift wurfteln. Der Wille
fehlt uns. Der deutfche Dichter Hermann Burte hat
einmal gefagt: „Das Schönfte in der Welt ift ein
Befehl!" Diefes Schönfte in der Welt hat uns lange
gefehlt. Der Krieg hat es uns gebracht. Er hat
uns den inneren Befehl vernehmen laffen, der in
allen Herzen Öfterreichs fchlägt. Jetzt wird nur
noch, wenn der Friede kommt, der Mann kommen
müffen, der uns auch den äußeren Befehl bringt.
Wir haben erlebt, daß wir ein Vaterland haben.
In uns allen ift es. Jetzt brauchen wir nur noch
einen Mann, der, was in uns allen ift, nun auch
aus uns allen hervorbringt. Der Krieg hat uns
unfere Wirklichkeit gezeigt. Jetzt müffen wir uns
ihrer bemächtigen. Der Krieg hat uns Öfterreich
gefchenkt. Jetzt müffen wir es auch beftellen. Einen
Mann brauchen wir, der den Willen zu Öfterreich

85

hat. Das Vaterland erwartet ihn. Wo ist er? —
Zu Hilfe kommt uns noch, daß das österreichische
Problem nach dem Frieden auch ein deutsches Problem sein wird. Unser Problem, das bisher unge-
löst geblieben ist, war von je, viele Völker zu be-
herrschen, ohne eins zu vergewaltigen; sie sollten
alle einem einzigen Willen gehorchen lernen, den doch
jedes als seinen eigenen, keines als aufgedrungen
empfinden sollte. Dieses unser altes Hausproblem
werden jetzt auch die Deutschen im Reiche bestehen
müssen. Nach dem Frieden wird ja des Deutschen
Vaterland größer geworden sein. Nicht mehr bloß,
soweit die deutsche Zunge klingt, sondern noch etwas
weiter. Europa soll deutschem Geiste untertan werden. Da muß der deutsche Geist nun ohne Unter-
drückung herrschen lernen. Er muß jedem der Völker Europas geben, was eines jeden Volkes ist, und
noch etwas dazu, das ihm alle verbindet, eben die
gemeinsame Prägung. Das ist es, was wir in Österreich bisher vergeblich suchten. Jetzt wird es uns
Deutschland finden helfen.

Salzburg, 10. November 1914

Die Trauer Gottes
Von Dora Hohlfeld

Der Schöpfer befahl der Sonne, dem gestorbnen Monde Glanz zu geben — und gleichmäßigen Frieden den nächtlich ruhenden Kriegsgeländen.

Doch der Herr zeigte sich nicht.

Zwei große Heere lagen sich feindlich gegenüber, hinter Hügeln und in Gräben geborgen. Schützen liegen still dahin. Das Licht ihrer Waffen verbarg sich schlau. Menschenrede geht wie Bienensummen. Hie und da regt sich im Halbschlummer eine starke Hand, als müsse sie nach Waffen greifen. Nebel steigen wie Wolken um die Träumer. Das ist der Weihrauch der Gebete aus allen Ländern nah und fern, der hier still steht, und über eine Weile weiterzieht zu Gott. Ein Strom, der, von Seele zu Seele gehend, fest verbindet. Starken Säulen gleich erheben sich Gebete um Schläfer und Wachende. —

Zwischen beiden Lagern schreitet lächelnd der Tod über Leichenfelder, als seien sie besät mit Rosen. Wie schön er schreitet, dunkel und mild! Eine Ruhe umgibt ihn, die niederzwingt. Dennoch liebt ihn niemand hier. Er weiß es. Und kann lächeln?

Er ist ein Diener Gottes. Als der Schöpfer das erste Menschenpaar so wundervoll geschaffen hatte — und den Tod zum Diener nehmen mußte, gab er ihm als Krone seines schweren Dienstes dies erhabne Lächeln. So schreitet er dahin, harrt der Befehle des Herrn.

Doch die Stimme Gottes läßt sich nicht vernehmen.

Hoch steigt der Weihrauch der Gebete auf zum Schöpfer. Milliarden singender Töne erflehn den Sieg für beide feindlich sich gegenüberstehenden

87

Heere. — Gottes verborgne Trauer und Bedräng-
nis ist gewaltig. Welchem der beiden Heere soll er
gnädig Sieg verleihn, welches schützen, welches vernichten? Denn der Tod des einen bedeutet das Leben des andren. Er läßt den segenspendenden Glanz
der Sonne und des Mondes Ungerechten und Ge-
rechten zu Teil werden. „Gib uns Sieg," bedrängen
die Stimmen der Gebete aus zwei feindlich sich gegenüberstehenden Lagern den Schöpfer aller Dinge. —
Gott erhob seine Hand in Zweifel und Trauer.

Wie eine düstre Wolke legte sich Gottes trauernde
Hand über den Mond. Da schwand jeder Frieden
von den Schlachtgeländen. Stilles Murren erhob
sich, klang wie Donnergrollen. Flüche wurden laut.
Waffen klirrten.

Häßlich in seinem sanften Lächeln schritt der Tod
im Morgengrauen über blindes Land. Er zerteilte
die Mauern und Säulen der Gebetswolken. Er
drang in Wolken, zerstäubte Weihrauch.

Keine Stimme Gottes erhob sich.

Der Kampf begann. Schuß um Schuß verhallte
über Schlachtfeldern. Ratlos stand der Tod. Haß-
erfüllt stieß man ihn zur Seite — oder verschmähte
selbst, ihn zu beachten.

„Wer bist du? — Du bist schön," seufzte ein verwundeter Krieger auf dem Felde.

„Ich bin der Todesengel."

„Neige dich zu mir, schöner Tod," flehte der Krieger, „nimm mein Blut zu deinem Rosenkranze, doch
hilf mir empor zu heißem Sieg, bevor ich sterbe."

Ratlos lächelnd stand der Tod, harrte Gottes
Befehl.

Licht zeigte sich in tausend Strahlen der Morgen-
sonne. In diesen Strahlen redete der Herr und

88

90

Schöpfer zu dem Tode. „Hilf dem Helden empor, führe ihn zum Sieg," sang Gottes Allmacht aus der Sonne. „Mit dem Heere dieses Kriegers geht meine Gnade."

Einen Helden nach dem andern erhob die Allmacht Gottes zu kraftvollem Siege.

Über beide Schlachtfelder, das gerechte und das von Gott gezeichnete, schritt der lächelnde Tod, als wären sie übersät mit Blumen.

Totenfeier
Von Ricarda Huch

1] Lächelnd und stolz, wie junge Königserben
Die samtnen Stufen auf zum Throne schweben,
Zieht unser Bruder aus zu Kampf und Sterben.

Steil wächst die Schlucht, der Sonne letztes Leben
Lischt aus am stumpfen Fels, schwarz wird's und kalt;
Fern hallt der leichten Schritte dumpfres Beben.

Da schnüren um die schaudernde Gestalt,
Wie Tigers harte Pranken um Gazellen,
Zermalmend sich die Mauern von Basalt.

In das verengte Bett vereinigt schwellen
Orkan und Meer. Er kämpft und keucht und sinkt,
Springt auf und sieht entsetzt die Nacht sich hellen.

Seht, wie das edle Fleisch im Feuer blinkt,
Es windet sich, es tropft wie welke Rosen.
Seht, wie der keusche Mund die Flammen trinkt,

Als wär's der Liebe frühlingweiches Kosen!
Kniet er nun kraftlos, lautlos, unbewehrt,
Scheint noch durch Siedeglut und Höllentosen
Das blinde Auge wie ein Schwert.

2] Trinke denn aus Götterhänden
Tief geheimnisvollen Rausch,
Nimm für gläub'ges Dichverschwenden
Der Vollendung Liebestausch.

Von zerrißner Brust verrinnend
Sinkt der ungeheure Traum.
Sanft erwachend, still besinnend
Folgt dein Blick dem blut'gen Saum.

90

Fremd und feind ward, was dir teuer,
Dich verriet selbst holde Nacht,
Gärend warf der Himmel Feuer,
Aus der Erde brach die Schlacht...

Steige, schwebe, Überwinder,
Sel'ger Einklang reinstem Chor,
Tauche, stürze dich geschwinder —
Offen das azurne Tor!

3] Wir wollen deine Stirn mit Eichen kränzen
Und wiederbringen Hauch und Duft
Von blauen Lenzen —
O Held, die Erde, deine Heimat, ruft.

Wir wollen dich auf bunten Matten wiegen,
Wo du gespielt hast als ein Kind
Von Kampf und Siegen,
Die nun Erinnrung deiner Taten sind.

Wir wollen seidne Fahnen um dich schwingen,
Wir wollen deinen Schmerz und Ruhm
In Liedern singen,
Dein armes Haus ist unser Heiligtum.

Kehr wieder aus der unbarmherz'gen Ferne!
Dem trunknen Aug' erlösche nicht
Im Bad der Sterne
Der Erde siebenfarb'ges, süßes Licht!

4] Wie auf Sturm und Meereswildnis
Heil'ger Norden unberührbar,
Strahlt dein auferstandnes Bildnis
Unerreichbar, unverlierbar.

Ew'gen Formen eingegossen,
Vom Verweslichen geschieden,
Tauft du irrenden Genossen
Himmelher der Schönheit Frieden.

Teures Haupt, du schwebst enthoben
Irdisch kettendem Gedächtnis;
Der in deinem Glanz zerstoben,
Sei dein Name uns Vermächtnis!

Zwei Völker
Von Rudolf Huch

I] Um das Jahr 5000 werden nur noch sehr unwissende Menschen glauben, es hätte wirklich einen Häseler, einen Hindenburg und einen Zeppelin gegeben. Die Gelehrten werden sich darüber einig sein, daß diese Gestalten nur Symbole sind. Das Volk hat sie sich geschaffen, in seiner Abneigung gegen das Unpersönliche, in seinem Bedürfnisse, die Kräfte, durch die es gesiegt hat, in einzelnen Heldengestalten zu verkörpern. Sich selbst meinte das Volk, wenn es die drei Namen aussprach.

Etwas Wahres mag wohl daran sein. Ich meine, auch einen Siegfried hat es gegeben. Er wird nicht gerade eine Hornhaut gehabt haben. Sonst können wir allerdings so gut wie nichts über ihn aussagen, aber doch immerhin eins: er muß ein ganzer Mann gewesen sein . . .

Zu Beginn des Feldzuges habe ich eine Reihe von Landwehrmännern gesprochen. Sie sagten, der eine unabhängig von dem andern: es kann nicht schlimm für uns werden, Häseler geht ja mit!

Wenn wir nichts weiter von Häseler wüßten als dies Vertrauen der alten Soldaten, so wäre es schon genug, um uns zu freuen, daß wir einen solchen Mann haben.

Wir freuen uns des Dreigestirnes; was uns ergreift, ist etwas anderes. Mir kommen noch heute die Tränen, und ich schäme mich ihrer nicht, wenn ich an die festen, stillen Gesichter denke, die in all ihrem Glauben an die Magierkräfte ihres Helden doch wußten, welchen schweren Gang sie gingen, und von denen nun schon mehr als einer den Fahneneid mit dem Leben eingelöst hat.

93

Wer wußte noch etwas von diesem einfachen, kindlichen, unbesiegbaren Volke! Was wußten die Zeitungen, die Schriftsteller von ihm!

Wenn wir gesiegt haben, und wer wollte ein solches Volk besiegen, soll den Einzelnen ihr gutes Recht werden, aber wir wollen es nie vergessen: das ganz Große, das Erhabene hat kein Einzelner getan, nicht einer von den drei Heroen und nicht andere, sondern das deutsche Volk.

Das mag an sich selbst eine Dutzendwahrheit sein; gewisse Anzeichen lassen es aber nötig erscheinen, daß sie oft und deutlich ausgesprochen wird.

Es versteht sich von selbst, daß zu diesem Volke auch die Väter und Söhne der höheren Schichten gehören; die Entbehrungen fühlen sie ja schwerer als das Volk im engeren Sinne.

Wir zu Hause aber, die wir es schon für verdienstlich halten, wenn wir ein versalzenes Mittagessen mit Würde ertragen, wie sollen wir es anfangen, daß wir nicht erdrückt werden von dem Übergroßen? Es gibt nur eins: klein müssen wir uns fühlen. Das schützt uns noch sicherer als das bestgelungene Kriegsgedicht.

2] Ich habe bis zum letzten Augenblick an den Frieden geglaubt. Rußland und Frankreich, sagte ich mir, schlagen nicht los ohne England, und ich ließ mich von den Grey und Kumpanen täuschen. Es ging mir, wie es einem wohl im Privatleben geht: man ist längst von der Niedertracht eines Menschen überzeugt und gegen eine schamlose Lüge dann doch nicht gewappnet.

Mehr noch täuschte mich der Glaube an die

94

96

altberühmte englische Staatskunst. Die Engländer mußten doch voraussehen, was jeder voraussah, daß sie sich den Islam in der ganzen Welt zum Feinde machen würden und daß allein diese Feindschaft ihr Weltreich allermindestens unheilbar erschüttern würde.

Das blieb nicht der einzige Fehler.

Konnte sich ein Staatsmann, der wirklich einer war und nicht nur ein Jobber, darüber täuschen, daß der Bund mit den Gelben und Schwarzen die Nemesis in sich trägt?

England wollte Deutschland nicht völlig vernichten, natürlich nicht aus einem Rest von Menschlichkeit, sondern weil wir ihm dann keine Waren mehr abkaufen konnten. Wenn aber die Sache in seinem Sinne gut ging, welche Mittel hatte England, seine siegberauschten Verbündeten von dieser Vernichtung zurückzuhalten? Glaubte es im Ernste, es hätte den wütenden Hahn und die gefräßige Moskowiterbestie gebändigt wie der waffenlose Achill die Troer, durch bloßes Gebrüll? Schon deshalb nicht, weil sich die beiden auf diese Künste selbst verstehen.

Seit Jahrhunderten ist England vor keinem Frevel zurückgescheut. Nun, da die Saat reift, häufen und steigern sich die Verbrechen ins Ungeheure; zugleich aber erfüllt sich die alte Griechenweisheit: wen die Götter verderben wollen, den verblenden sie zuvor.

Geduld!
Von E. G. Kolbenheyer

Ich weiß, es wird auch meine Stunde fallen,
In der ich selbstverloren muß vermissen
Das stille Haus mit seinen Stimmen allen,
Dem Weib und Kind, dem Freund und Werk entrissen.

Und doch wird mir das stumme Harren schwer. —
Weit aufgelöst zu bittern Sehnsuchtswogen,
Zerfließt ins sturmzerwühlte Menschenmeer
Mein Ich, als sei sein bester Halt erlogen!

Rings stürzen alle Schönheitstempel ein.
Und aus den offenen Soldatenwunden
Schlürft kraftberauscht den langvergornen Wein
Ein Weltgeschick und will daran gesunden.

Was sonst in hundertfältigem Eigenstreben
Kühn seine Einsamkeit zum Himmel trug,
Ist ausgeschüttet in ein Menschheitsleben
Und weiß sich nur als Teil des Teils genug.

Nimm auf mich, große Welle, große Zeit,
Und laß mich kärglich nicht verträumen!
Es wird und muß die deutsche Herrlichkeit
    Siegesgeschwellt,
    Sonnedurchhellt,
Hoch alle Schatten überschäumen.

Aus der deutschen Geschichte
Von Ernst Lissauer

1] Bach in der Arbeit

Im engen, graugekalkten Werkgemach,
Die Arme aufgestemmt, die Hände vorm Gesicht,
Vor leeren Bogen sitzt Sebastian Bach.
Fleißig im Oberstock übt Friedemann,
Leis knarrt ein Schritt, zag pocht es an, —

Er regt sich nicht,
Er horcht gen innen,
Er hört von rings ein selig summend Rinnen,
Er sitzt tief in sich selber eingesenkt,
Gesammelt Kraft bei Kraft zu voller Macht;
Aus seinem Haupte und Geblüt
Goldstill ein Glanz atmet und glüht,
Der sanft die dumpfe Stube scheinend tränkt,
Schon ist der Gottgeist in ihm aufgewacht,
Mit Gottgeist ist er reich und reich beschenkt, —

Die Rechte löst sich sacht und liegt bereit,
Klingende Zeilen schimmern ausgegossen,
Weitaufgeschlossen
Sitzt er in seiner Seligkeit.

2] Goethe beobachtet die Wolken

Goethe saß hoch am Altan, in mächtiger Schau
Aufgehoben das Antlitz gen das weitleuchtende Blau,
Horchend auf die Geströme der Luft und der Winde
    wechselnden Flug,
Wie sie wenden und wiegen der Wolken sich wan-
    delnden Zug,

97   Taschenbuch   7

Wolken wie Wände gebaut und wie Segel gebläht,
Wolken zu Haufen geballt und wie Flocken geweht,

Er sitzt, er sieht,
Langsam zieht,
Spielzeugklein,
Wolke und Wolke in winzigem Widerschein
Weiß durch seine trinkend spiegelnde Pupille,
Wie an blendendem Firn
Vorüber der steilen Stirn,
Die ragt in gletscherner Stille.

Da waren unter den Brauen
Die ragenden Stirnbeinbogen
Von seinem Schauen
Ganz voll Äther gesogen.
Durch sein Haupt, getragen von schimmernder Winde
        starkatmigem Fluge,
Fuhren Licht und Gewölke und Himmel in breitem,
        unendlichem Zuge.

Belagerung
Von Max Ludwig

Szene: Vor einer belagerten und brennenden Stadt. Im Vordergrund die rauchgeschwärzten Trümmer einer Mühle, die etwas erhöht liegt. Weiter zurück die ungeheure dunkle Masse eines Turmes. Greller Feuerschein strahlt aus der Tiefe über die Szene.

Personen im Belagerungsheer: Herzog Wolfram; Bischof Albrecht, sein Bruder; Dompropst; Kanzler Peutinger; Einige Ritter u. Hauptleute; von den Belagerten: Graf Turn; Bürgermeister.

Ein Landsknechthauptmann mit einem Reiterhauptmann der Belagerungsarmee im Gespräch. Ein Feuerwerkerhauptmann kommt dazu.

Feuerwerker (nach der brennenden Stadt zeigend): Ein lebhaft Feuerchen, ihr Herrn! Der Mond schämt sich rot, daß er nit mitkommt.

Landsknecht: Sonn und Mond sollten acht Tage pensioniert sein, wenn ich der Herzog wär. Ich ließ andre Lichter aufstecken über der Stadt, wie die da.

Feuerwerker: Wird bald am End sein mit Lichtern. Der Turn wär ein Esel, wenn ers Fell halten wollte, bis mans ihm über die Ohren zieht.

Reiter: Der Querkopf übergibt nit.

Feuerwerker: Diesmal übergibt der Querkopf.

Landsknecht: Ich schlag dich tot, wenn du recht hast. — Da . . . sie schleppen schon Leitern zum Sturm!

Feuerwerker: Und ich sag: s kommt nit zum Sturm, wie ich den Wind versteh. Der Herzog wird die Stadt nit in Grund und Boden verderben wollen, wird leichte Bedingungen machen. Und der Turn weiß zu gut, daß das Nest den Sturm nit mehr abhält.

Landsknecht: So wollt ich, er spräch sich was ein! Hab lang keinen Kehraus mitgemacht.

99   7*

Reiter: Man kommt um manches, freilich. So
n bißchen Plündern! — meine Kerls stechen gern.

Landsknecht: Ach, und die Weiber! besonders die
Weiber! Wenn das rennt, vor Angst nit weiß wo-
hin, und einem gradewegs in die Arme läuft! ...
Angepackt, in nächsten Winkel ...! Und das Quie-
ken und Zappeln, bis sie der Spieß vollends zu Tode kitzelt! — Das heiß ich doch wissen, worum man
lebt!

Reiter: Freilich! Der Soldat muß was haben für
seine Müh. Man dient nit um Gotts Lohn und
der Heiligen Gnad.

Feuerwerker: Laß das die Pfaffen nit hören!

Reiter: Eh die! Möchten aus der Welt ein
Kloster machen und ein Fegfeuer rundum, damit,
wer innen nit pariert, wird heraus ins Feuer geworfen. Sind selbst am ärgsten und nit sehr bescheiden.

Feuerwerker: Malest den Teufel an die Wand,
        Ist Baalz nit mehr weit im Land.—
Da kommen zwei Kutten.

Landsknecht: So laß mich ein Sprüchlein sagen,
daß ich mir 14 Tag Ablaß verdien:
(sehr laut) Hallebard heißt mein rechter
        Glaubensverfechter.
        Er liebt die Ketzer wohl all so sehr,
        fräß täglich gern Hundert und etliche mehr,
        und möcht sichs finden,
        tät sie plagen und schinden,
        daß ich am End von meinen Tagen
        Vergebung und Gnade möcht erfragen.

Feuerwerker: Halts Maul! Ist der Bischof dabei.

Landsknecht: Eben deswegen.

100

Feuerwerker: Laßt uns weggehn! Bin nit gern bei großen Herrn.

Reiter: Ein Reiter steht überall gut. (Die andern wollen weitergehn.)

Bischof Albrecht (noch hinter der Szene): Ist hier Gefahr?

Reiter: Jetzt wohl nit mehr. Ist Mangel drüben, Herr Bischof. Wenig Futter für die Mäuler, noch weniger für die Feldstücke.

(Bischof Albrecht und der Dompropst kommen.)

Bischof: Ihr seid eifrig gewesen.

Reiter: Ist nit zu viel gesagt.

Bischof: Ich dank euch. Es wird nichts vergessen werden.

(Die Hauptleute ziehen sich zurück.)

Bischof: Man muß jetzt loben und streicheln. Es ist der alte Geist nicht mehr, der alles aus sich selbst tat.

Dompropst: Es ist viel verloren gegangen. — (Horcht nach der Stadt.) Was für Gelärm drüben?

Bischof: Sollten sie einen Ausfall hierher im Sinne haben?

(Propst zuckt die Achseln.)

Bischof: Wir sind hier sehr nahe.

Propst: Unser Fußvolk ist auf der Hut. Seht! wie es einschwenkt.

Bischof: Dieser Turm hindert die Aussicht sehr.

Propst: Das ist der Wasserturm. Er und die Mühle haben uns Müh gekostet, ehe wir sie ihnen entrissen. Seitdem haben sich die Dinge sehr verändert. Die drüben müssen sich jetzt das Wasser aus dem Fluß dort holen, und unsere Schützen schießen sie weg mit ihren Krügen.

101

Bischof (setzt sich auf eine zerfallene Mauer): Es wird jetzt stiller drüben.

Propst (setzt sich gleichfalls): Ich wollte, sie wärens ganz. Der Schwarmgeist steht allerorten auf.

Bischof: Ein Exempel würde gut tun!

Propst: Das Exempel wird sich sehr ritterlich ausnehmen, scheint mir.

Bischof: Glaubt Ihr das auch?

Propst: Es wird kaum einem wehe tun. Übergabe in Ehren, Zusicherung vorläufiger Glaubensfreiheit —

Bischof: Vorläufiger! Wißt Ihr, was das heißt?

Propst: Wenn auch. Ich rieche Versöhnlichkeit. Unnützes Blut, das darum vergossen ward.

Bischof: Es ist noch schlechterer Dinge halber Blut vergossen worden.

Propst: Man hätte es nützlicher anwenden können. Euer Bruder, Herr Bischof, ist ein rühmenswerter Fürst, aber wenn ich der Feldherr wäre und dort hinein wollte: ich würde anders anklopfen und anders hineingehn. Das heißt die Feindsgedanken sanktionieren.

Bischof (lacht): Diplomatia, mein Lieber, Diplomatia! (Neigt sich zu ihm, leiser:) Ist man verpflichtet, Verträge mit Gegnern zu — halten?

Propst (steht ihn erst einen Augenblick verwundert an und platzt dann lachend heraus): Oha! ... Wie schreibt der Wittenberger Narr? ... O bessert euch, bessert euch, lieben Brüder! Ich warne euch treulich! (Beide lachen still vor sich hin.)

Bischof: Ihr seid ein Schelm. (Zwei Fähnlein Landsknechte ziehen vorüber.)

(Führer grüßt den Bischof.)

(Bischof macht nachlässig das Kreuz gegen sie.)

102

(Stimme des Herzogs Wolfram unverständlich
von der Gegend des Turmes her. Kommt mit dem
Bannerträger und Rittern durch die Landsknechte
vor. Ausweichen, Gedränge. Landsknechte dann
singend am Turm hinunter. Herzog mit den Seinen weiter vor.)

Herzog: Was tun Priester hier? Geistliche Herrn,
wo sie nütze sind.

Bischof: Wolfram!

Herzog: Ja, Bruder? Hätte dich schwerlich so
stark am Feinde gesucht. Hier schützt dich der Bischof nit.

Bischof: Braucht es noch? Turm übergibt,
mein ich.

Herzog: Andres würde ihn reun. Freilich: er spielt
mit meiner Geduld, als wenn sie ein Lämmlein wäre! — Es muß einen Haken haben. Sie beratschla-
gen noch immer.

Einer der Ritter (halblaut): Wird nit viel zu be-
sinnen sein.

Herzog (schnell): Ei . . . doch wohl, bester Herr!

Ritter: Es geht nit auf Gnad und Ungnad, Herr
Herzog.

Herzog: Weiß ers so sicher? Und wenn nit auf
Gnad oder Ungnad! Wärs dem ehrlichen Herrn nur
um den Kopf? Und glaubt ers von andern? . . .
Schämt Euch, Herr Ritter!

Bischof: Nit ungerecht, Bruder.

Herzog: Ists deines Amts, Bischof? — Ich will
Ehrfurcht vor einem Gegner, der mit Ehren un-
terliegt, mein sehr junger Herr! Das hab ich denn
doch noch gelernt, und meine Ritterschaft soll sich
danach halten.

Propst: Wohl ists alte ritterliche Sitte, Herr Her-

103

zog. Zu viel Ehr aber einem Feind, der des Unglaubens Schirmherr —

Herzog: Sei er des Teufels Schirmherr! Es steht Kriegsmann gegen Kriegsmann, was mich und den Grafen Turn angeht. Hat er irgendeines Gnade verwirkt, ists nicht meine Sache. Und soll mir kein Kirchenrock ein Wörtlein dazwischen reden.

Bischof: Wir wollen doch kein Disputum juris et theologiae hier eröffnen, Bruder.

Herzog (lacht): Nein, es ist wahrlich nicht Zeit dazu. Meine Geduld wird heiß. Die drüben finden kein Ende.

Bischof: Wer leise anklopft, muß lange warten.

Herzog (faßt ihn jäh an und zeigt nach der Stadt): Da! Siehst du die Spuren, wie ich anklopfte? Die Stadt ist offen bis ans Herz hinein, der Fluß dunkel von Blut, und das Feuer wird noch ein übriges tun. Ein Wort . . . und die Stadt ist unser.

Bischof (heimlich): Warum sprichst du das Wort nicht?

Herzog: Weil die Stadt verloren ist, wenn ichs spreche.

Bischof (ebenso): Ein Beispiel tut not. Du solltest es sprechen.

Herzog (sieht ihn einen Augenblick schweigend an, dann wendet er sich langsam. Mit dumpfer Stimme): Meersburg, ordnet die Fähnlein zum Sturm! Laßt Bretter und Leitern anschleppen mit möglichstem Lärm, daß sie inne werden, was bevorsteht! (Meersburg ab.) Ich will . . . aber das ist Narrheit! Roll das Panier auf, Liebenau, und reite nochmals hinüber! Laß die Trompeten brüllen, daß sie die Ohren aufreißen! Sag' ihnen: wenn nach einem Butterbrotessen die Schlüssel der Stadt

104

nicht in meinen Händen sind, so will ich die Mäuer-
lein, die meine Feldschlangen noch stehengelassen,
über ihnen zusammenschmeißen, daß kein Maul
mehr übrigbleiben soll, zu sagen: Hier war was!
(Liebenau ab.)

(Bei der plötzlichen Stille, die nach diesen Worten
eintritt, hört man die Worte eines)

Landsknechts: (der zu andern, die sich mit ihm in-
zwischen angesammelt haben, sagt): Das freut mich,
daß . . . (er hält erschrocken inne, als sich der Herzog plötzlich umdreht und vor ihm stehen bleibt).

Herzog: Was freut dich?

Landsknecht: Daß . . . endlich aufgemutzt wird,
Herr Herzog!

(Herzog schlägt ihm mit der Faust ins Gesicht,
daß er taumelt. Bewegung.)

Bischof: Zu hart, Bruder.

Herzog: So? War kein Schwarmgeist? nein? —
Es ist schwer, sich ein Gottlohns zu verdienen von
euch geistlichen Herrn.

(Trompeten in kleiner Entfernung. Bewegung
und Ausrufe unter den Anwesenden.)

Ein Ritter: Toll und Turn! . . . ein Ausfall!

Bischof (zum Propst): Wollen wir hier bleiben,
Bruder?

Propst: Wenns nit heißer wird.

(Pause. Lärm und Geschrei in der Stadt.)

Herzog (der gespannt hinüber gesehen): Eh! —
also doch noch!

Bischof: Ausfall?

Herzog (legt ihm die Hand auf die Schulter): Albrecht, Albrecht! Ich kann dir dein Wünschlein nit
erfüllen. Tröst dich! Es gibt allerorten Exempel
genug.

105

Bischof: Ist das wahrhaft gemeint, Wolfram?

Herzog: Denkst du, ich wäre der Nürnberger Schuster und hätt ein Fastnachtsspiel im Gange?

Bischof: Es müßt ein Fastnachtsspiel eigner Art und besonders lehrhaft gegen den Schluß sein.

Herzog: Brüderchen Bischof, du spintisierst! Klar und deutlich, daß mirs greifbar ist!

Bischof: Du weißt auch ohne mich, wie der Wind weht.

Herzog (sieht ihn verwundert an): Bei Gott, nein! ... Wenns was Krummes ist —

Bischof: Vor Gott und dem Kaiser wohlgefällig und gerecht.

(Näherkommendes Geräusch. Man hört Rufe: Viktoria!)

Herzog (heftig): Ruhig die Schreier! (Zum Bischof, der ihn am Ärmel zieht) Nachher, Bruder, nachher! Da kommen die Sünder.

(Sieht auf den nahenden Zug. Die Stadtältesten voran, deren vorderster [der Bürgermeister] das Wappen und die Schlüssel überbringt.)

Herzog: Erweist ihr mir die Gnad, Freunde?

(Die Bürger knieen.)

Herzog: Da liegt ihr nun und laßt die Ohren hängen wie nasse Hunde. Es wird euch eine Mahnung sein, wenns euch wieder ankommen sollte, einen Herrn vor dem Tore stehen zu lassen. Heißt ihr das künftige Sitt und Art nach der neuen Freiheit des Christenmenschen, so stehts übel um eure geistliche Sache!

Bürgermeister: Unsere Beschwerden fanden anders kein Gehör, Herr Herzog.

(Turn mit zwei Rittern erscheint und bleibt im Hintergrunde.)

106

Herzog: Ich weiß wohl. Hättet Ihr eure Sache in beßre Hände gelegt!... Was menschlich ist, kann ich verstehn.

Bürgermeister: Zürnt nicht, Herr Herzog! Wir kannten Euch nicht.

Herzog: Und kennt Ihr mich jetzt?

(Bürgermeister schweigt.)

Herzog (lacht): Nicht? — — Nun, zuzeiten kenn ich mich auch nicht sehr. — — (Nimmt die Schlüssel und gibt sie dem nächststehenden Ritter.)... Steht auf! und wenn Ihr heimkehrt, so laßt die Glocken Freude läuten, denn wenn Ihr ein Nasenschneuzens später gekommen wäret, so hättet Ihr mich derart kennen gelernt, daß Ihr mirs schwerlich danktet!

Kanzler Peutinger (der gleich bei der Ankunft des Juges aus diesem heraustrat und von den umstehenden Rittern begrüßt wurde, tritt vor): Schwer läuten, gnädiger Herr, wenn man Stückkugeln aus den Glocken kneten mußte.

Herzog: Auch da, Herr Kanzler? — Habt Ihr warm gesessen die Zeit daher?

Kanzler: Habs ehedem schon besser getroffen, Herr Herzog! Aber heut saß ich heiß, in Wahrheit zu melden. Mein Gestell dürft Euch schwerlich gefallen in dieser Umhüllung.

Herzog: Bei allen Heiligen! Habt Ihr im Rauchfang gesessen?

Bürgermeister: Es ist unsre Schuld nit, Herr Herzog.

Kanzler: Es wird sich weisen. — Nit bloß im Rauchfang, in dem Fegfeuer drüben hab ich gesessen, und die Schelme da saßen mit. Wollten ein übriges tun und mich höchstselbst aus dem Jammer meiner dreimonatlichen Unbehaglichkeit erlösen — mit

107

Fleiß zu spät! — und sollte meine erlogene Rettung
nur ein Pflaster sein auf ihres neuen Herrn Zorn.
Aber das Feuerlein war eiliger als sie und leckte von
hinten und vorn, daß uns richtig kein Ausweg blieb
und die Guten mit festsaßen im Loch mit ihrer
Klugheit. Und als wir umeinanderrannten und die
Männer im feurigen Ofen spielten, da gedacht ich
schon in meiner Sünden Fülle dahinzufahren mit
den heimtückischen graubärtigen Schuften, die es
— meiner Ehr — wahrlich um mich verdient hatten mit ihrem Zögern!

Bürgermeister: Das Feuer war übergesprungen,
eh wirs uns versahn, Herr Kanzler. Wir hatten
kein Wasser zum Löschen.

Kanzler: Hättet Ihr speien sollen! — Ihr hättet
gern einen Schmorbraten aus mir gemacht, wenns
Euch nit um den Herzog war. — Herr Herzog, trauet
den Erzschelmen nit!

Propst: Die Lutherischen sehen immer, von wan-
nen der Wind fährt.

Bürgermeister: Das ist nit wahr, Herr Probst!
Mit Vergunst! — Unter Gefahr des Verzögerns
und unsres Lebens haben wir den Herrn Kanzler
aus dem verlorenen Stübel herausgeholt. Des sei
Gott Zeuge! Und das Unglück des Theobald Mör-
ner, unsres zweiten Schultheißen, der elendlich in
den Flammen umkam! Vor Euren eignen Augen,
Herr Kanzler.

Kanzler (lachend): War das besagter Herr, dem
die Angst seines Herzens die Zunge löste und der
mir und dem Herzog den deutlichen und geraden
Vorwurf machte: wir allein seien Schuld an dem
Elend und nit ihre unreine Gesinnung? — Dem
hab ich zum Dank mit einem unversehnen Hand-

108

griff nachgeholfen, als er von ungefähr ins Stol-
pern kam — und hat sich auch stracks ins Feuerlein
einlogiert.

Herzog (finster): Und dessen rühmt Ihr Euch,
Kanzler?

Kanzler: Solch Beispiel tut not, Herr Herzog,
und will erzählt sein, daß die Ehrfurcht nit aus-
stirbt und das Paternoster nit verlernt wird.

Propst: Der Wille ist wohl löblich.

Herzog: Gott! Gott! Und alles in deinem Namen! ... (Unwirsch zum Kanzler) Beiseite!

Kanzler (leise zu Bischof Albrecht): Der Herr
Herzog scheint heut ungnädigen Gemüts zu sein.

(Bischof nickt und winkt ihm zu schweigen.)

Herzog (zu den Bürgern): Geht jetzt, sorgt, daß
gelöscht werde! — Die Fähnlein da unten sollen mit
Hand anlegen, sagts Meersburg an.   Und wenn
einer plündert oder sonst: es sind Galgen!

(Die Bürger gehen; Turn, der sich mit den Rittern finster und einsam abseits im Hintergrund gehalten hat, wird dem Herzog sichtbar und kommt
vor.)

Herzog (geht ihm halbwegs entgegen): Turn,
Turn, Ihr habt mir harte Arbeit gemacht!

Turn: Mußte wohl, und war doch unnütz. — —
Hier die Geiseln und mein Schwert!

Herzog (nimmt das Schwert und scheint einen
Augenblick zu schwanken): ... Gelobt Ihr mir auf
Euer Kriegerwort: Die Bedingungen zu halten und
zu erfüllen?

Turn (streckt ihm die Linke entgegen): Wenn Ihr
mit dieser vorlieb nehmt, Herzog! Die Rechte hat
ausgedient.

109

Herzog (faßt mit der Linken, in der er auch den Knauf des Schwertes hält, die dargebotene Hand des Gegners und legt ihm die Rechte in warmer innerer Bewegung auf die Schulter): Wackre Seele! Ich wollt, sie hätte für mich gedient und nicht gegen mich!... Da — nehmt Euer Schwert zurück! Und wenns Euch recht ist, laßt uns die Zeiten vergessen, einträchtig hinüberreiten, die Schäden besehn und uns bessern, Graf, bessern.

Turn: Ihr haltets ritterlich, Herzog.

Herzog (zu den beiden Geiseln): Euch Herrn kann ich nicht helfen. Ihr haftet für die Stadt. — — Machts ihnen leicht, Liebenau!

(Die Geiseln werden abgeführt, der Herzog wendet sich zum Gehen.)

Bischof Albrecht (der mit dem Propst staunend den Vorgängen gefolgt ist): Bruder, ein Wort!

Herzog (umkehrend): Ja so! das Fastnachtsspiel!

Bischof (nimmt ihn beiseite): Ich verstehe deine Wege nit.

Herzog: Welche?

Bischof: Willst du sie narren oder uns?

Herzog: Was? Wen?

Bischof: Bist du für uns oder gegen uns?

Herzog (aufbrausend): Bist du bei Sinnen oder nicht?

Bischof: Ich bins, aber du nicht. Weißt du, wo du hintreibst? — Aber du kannst noch zurück! Verträge mit Gegnern sind nicht vor Gott geschlossen.

Herzog: Albrecht! Also doch krumm? — — Da sei Gott vor, daß ich an denen und meinem Wort zum Judas würde! . . . Geh, für wen hältst du mich? (Geht Turn nach, der Stadt zu.)

110

Propst (rasch, aber leise zum Bischof): Apostata.
Herr Bischof, Apostata!

Kanzler (der kopfschüttelnd beiseite gestanden):
Das ist doch seltsam und eines Briefes wert.

III

Sylvester der Klassik
Von Walter von Molo

Die Mitternacht schlich näher. Ernst und weltverborgen sprach Goethe: „Wenn wir die Summe der Ereignisse seit unsrer letzten Sylvestersitzung ziehen, Freund Schiller, so bleibt ein hartes Plus des Gevatters Tod; mancher Gute schied von der Gemeinsamkeit." Goethes verschleierter Blick fiel von dem Steinsammlungskasten, den er traurig fixiert hatte, zum Scheine des krachenden Buchenholzes im geliebten Kachelofen. Er saß bewegt, im langen Hausrock, und hörte die Zeit brausen.

„Man lernt sich bescheiden." Schillers sinnender Blick vereinte sich mit dem des Freundes auf dem Boden.

„Bloß Wieland," sprach Goethe grimmig und gequält vor sich hin, „entdeckt noch immer neues Leben! Jetzt hat er wieder einen Shakespeare, den dritten in diesem Jahr!, in einem Freund seines Sohnes entdeckt." Mißlaunig fuhr Goethes Hand über seine großen vorwurfsvollen Augen, über die mächtige Stirn: „Wie heißet er doch gleich?" Drohend sah er Schiller an; kurz lachte er dann. „Ich weiß nicht! Der Alte ist jedenfalls spaßhaft!"

Schiller lächelte zart und menschenliebend. „Das ist das Schöne an ihm," sprach leise die kranke Brust, „er hofft immer und gießt in alles die zerstörte Hoffnung neu; er wird nie betrogen sein! Wir vergaßen: Mir wurde im vergangenen Jahre das vierte Kind geboren!"

„Es wird irren und sterben wie wir."

Schiller sah Goethes kummervoll-bitteres Versunkensein; er rührte mitfühlend des Freundes Arm. „Denken Sie dessen," sprach er aufrichtend, „was Sie

112

vorhin lasen! ‚Die alte Erde treibet doch immer Schönes!‘"

Langsam blickte Goethe auf, tiefzerwühlt. „Der ‚Faust‘?" fragte er wegwerfend und starrte sinnend durchs kleine Fenster zu den beschneiten Äften seines Gartens, die ihn leise schaukelnd grüßten. „Der ist Witz!" Er atmete tief, wie befreit sprach er: „Es ist unsäglich, wie sich die armen Menschen auf der Erde quälen, jedoch: es muß wohl so sein!"

„Und doch," sagte Schiller, „wenn wir auch nicht wissen, warum wir hiernieden sind, unser Fühlen vermag die Schönheit allüberall zu finden; das Fühlen ist der Menschen Seligkeit."

„Sie sprechen wie diese altneudeutsch-christlich-religiös-patriotische Kunst, die sich jetzt breit macht," drohte Goethe; die kranke Niere schmerzte doppelt in der Tiefe der einsamen Stunde. „Sie sind überhaupt in letzter Zeit erschrecklich deutsch!"

„Ich mußte mich schnell entscheiden, sollte dieses Leben nicht umsonst gewesen sein; einmal wird auch der Schwabe klug: Was ich nun weiß, ist dieses: Der Mensch steht auf der Erde, er kann nicht los von ihr und darf nie vermeinen, fliegen zu können, weil er den Himmel sieht. Doch er muß ihn stets sehen! Im ewigen, langsamen Entwicklungsgang der Welten, der ewig ist und uns hiernieden drum, als Zeitliche, nicht mehr bekümmert, als daß er ständig Hoffnung gibt, wird jeder Sprungversuch bestraft; drum müssen wir verantwortungsvolle Kinder der Zeit sein, das Fühlen der Menge, auf unserem Boden, teilen; nur dann vermögen wir zu führen!"

„Für dieses Volk soll ich schaffen? Ich plag mich nicht für Spießbürger und engherzige Philister!"

„Sie gebaren uns!"

Betroffen sah Goethe den Vergeistigten an. Bär-
beißig froh, ein wenig geschmeichelt, dankbar aus
seiner Mißstimmung gehoben, lachte er dann in sich
hinein. „Meinen Sie, die Bagage wüßte, daß dies
ein Verdienst ist!?" Wutrot streckte er die starken
Fäuste. „Ich kann nun einmal nur über die Bande
schimpfen!"

„Übel wäre es, litte die Masse wie wir. Sie muß
schaffen im Tag, wie wir im Geist; das ist die Ar-
beitsteilung der Ewigkeit. Nur so kommet allen
die Freiheit!"

„Wenn der Deutsche ,Freiheit' sagt, meint er das
Recht auf seine Beschränkung."

„Einstweilen! Goethe: Man züchtigt, was man
liebt! Sie sind Deutschlands echtester Sohn."

„So?! Sehr ehrend!" sprach Goethe kurz und
trank. Nervös zuckte sein Mund. Er sah zum
Kasten, in dem seine Schemata lagen, in denen er
die Welt, die Welt vereinfachend, zu verstehen suchte:
auch dort gab's unversöhnliche Verschiedenheiten,
die, im Wettbewerb, das Ganze höher führten! War
das die Aufgabe der Nationen? „Ich goutiere den
kurzblickigen Plunder nicht."

„Ich halte klar und bewußt zu meinem Volke,"
sprach Schiller, „es ist die Familie im großen! Jeder Sprung des Egoismusses, auch im Geiste!, ist
vom Übel! Wir leben hiernieden! Selbstloses Be-
greifen aller, unter und in den Nationen, ist unmöglich von Dauer! Es ist vielleicht durch die höchste
sittlich-ernste Erfassung des Daseins — wenn überhaupt! – zu erkämpfen, im langsamen Werden durch
– die Ewigkeit." Schillers verklärtes, abgehärmtes
Antlitz leuchtete. „Das Volk aber ist am reichsten
und drum zur Führung in die Ewigkeit" — seine

114

blutleeren Wangen röteten sich tief — „am ehesten befähigt, das am meisten litt, das zuletzt an sich denkt, das am schwersten Nation ist, weil es schon die Nation der Menschenliebe in sich fühlt. Unserm Volke ist, wie ein Brandmal, das Ideal ins Herz gelegt; es wird, es muß führen! Ich beklage, daß mich mein kranker Leib hindert, politisch mitzuhelfen, das Volk zu einen, damit sich die Menschheit dereinst danach eine." Im Letzten klar, sah er ergeben zu Boden. „Und doch: ich freue mich, der Welt des Geistes schon so nahe zu sein; ich streite den Kampf in tausend Hirnen mit."

„Die Kerle werden raufen und vom Höchsten nichts ahnen. Sie loben nur das Schlechte an uns!"

„Das Höchste schrieb sich nicht, ihnen zum Beispiel! Das Höchste, unser bestes Werk, war unser Zweiklang . . ."

„War? Warum sagen Sie, lieber Freund: war?" Goethes Hand auf der Stuhllehne zitterte.

„Weil wir mein letztes Sylvester feiern!"
Goethes Haupt sank auf die Brust.

Leuchtenden Auges sprach Schiller zu Ende: „Ich sagte: unser bestes Werk war unser Zweiklang, wenn wir sprachen, und schwiegen, weil die Sprache die Hilfen versagte, wenn unsere Geister, als eins, Sturm liefen. Kein Werk meldet das Höchste, keine Zeile faßt es. Es ist und vergeht für irdische Augen, wie unser Leben; hiernieden lebt kein Ideal! Doch es ist ewig wie die Sonne, die auf- und untergeht und doch ewig da ist. Wir stahlen uns ja bloß Momente aus dem Drüben!"

„Sie sprechen wie ich, in hellern Stunden," bekannte Goethe; „ich bin heute gestimmt, wie Sie

115   8*

es schon oft waren. Nicht wahr? Und dann: den Egoismus ganz zu meiden, wird mir nie gelingen..."

„Oh, warten Sie bloß, teurer Freund, bis Sie zum Sterben kommen!"

Goethe brummte: „Das Leben ist eine Spirale: auf jeder höheren Stufe finde ich den alten Ekel; der ist ewig!"

„Unser Vermengen und Vermischen des Geistes, in heiligen Augenblicken, ist das Werk, das bleibt. Das durfte im Augenblicke, da es war, für diese Welt vergehen, weil es ewig ist. Unser Zweiklang war das Versprechen, daß die Erdenzweiheit im Paradies zu neuer Einheit wird." Die Turmuhr schlug gemessen zwölf durchs Städtchen; Schiller erhob sich, er streckte den abgemagerten Arm Goethe entgegen. „Leben wir ergeben und entschlossen, ohne unzufriedenes Suchen, das hiernieden nie Sicherheiten finden kann, freudig aufwärts sehend, zu Ende," sprach er mutig, kaum hörbar, „bewußt als Mensch, der den Himmel verlor, darüber aber die Erde weder vergißt, noch verachtet, weil er weiß, unverlierbar ist des Himmels Spiegelbild in ihm." Er lächelte erlöst. „Das Leben hat recht! Glücklich der, der nimmer zu suchen braucht, weil er allüberall vergeblich suchte! Ich bin glücklich."

Schnee sank selig vor dem Fenster, der Wind triumphierte. Goethes Hand lag um Schillers Rechte geschmiedet, seine Augen, Sterne der anderen Welt, brannten im unendlichen Nachthimmel. „Es ist alles eine Wandlung," sprach dumpf der Weltgeist aus ihm, „eine Wandlung zu neuen Wandlungen. Wer ermißt sie?"

116

Deutschen Geistes ein Hauch
Von Richard Schaukal
(Bild in drei Feldern)

1] Linker Flügel: E. T. A. Hoffmann

Erst als der Mensch sein Spiegelbild verloren,
Haus, Heimat, die Geliebte, Freund und Amt,
Sein eigner Spuk, ans Tageslicht verdammt,
Wardst du, vereinsamt, selbst dir eingeboren.

Nun zwang dein Taktstock zauberisch die Horen.
Puppen, von Künstlers Geigenstrich entflammt,
Tanzen sie dem, der nur sich selbst entstammt,
Sonst wesenlos die Spiegelwelt von Toren.

Dein Reich heißt Dschinnistan. Dir wird die Elbe
Von grünen Schlänglein leuchten, holden Schlangen;
Weinhändler und Minister sind derselbe

Streusand, in Arabesken aufgegangen.
In dir lebt Julias Ton, der strahlend keusche.
Das andre, Gottberauschter, sind Geräusche.

2] Mittelstück: Kant

Das Wesen schiedst du von Vernunft und Meinung,
Bescheiden als ein Weiser dem Erkennen
Grenzen bestimmend, die auf ewig trennen
Von innerlich Geschautem die Erscheinung.

Du warst zu der zwei Seiten stiller Einung
Gelangt, du sahst die stete Flamme brennen,
Das dritte, das wir das Ergebnis nennen,
Das Sein, des Werdens ewige Verneinung.

Du bist — das haben Gleiche nur geahnt,

117

Und es ist auch das Schicksal der dir Gleichen —
Du bist, was andere an dir erreichen.

So ist das Große, so das Größte: Gott.
Dem die gewohnte Kost, dem Qual und Spott,
Doch keiner lebt, den es nicht irgend mahnt.

3] Rechter Flügel: Hölderlin und Nietzsche

Die Sonne der Hellenen überm blauen
Meere der Heimat, Hölderlin, war dein.
Ins Purpurdunkel dieses Meers hinein
Zog, Nietzsche, dich ein sehnsuchtsvolles Grauen.

Was jenem harfenblühend klang im Tauen
Der ewigen, der keuschen Jünglingspein,
Das blieb dem unerlösten andern Stein,
Aus leeren Augen starrend in sein Schauen.

Empedokles der eine, sich der Tiefe,
Der unerkannten, still verehrten, weihend;
Prometheus gleich der andre, sich entzweiend,

Lichtbringer, mit dem Licht, dem allzu grellen,
Bis Gott, bedrängt an seinen beiden Schwellen,
Gnädig befand, daß beider Geist entschliefe.

118

Gedruckt von Hesse & Becker in Leipzig, Buchbinderarbeit von A. Köllner in Leipzig, Papier von Edm. Obst in Leipzig

Druck:
Customized Business Services GmbH
im Auftrag der KNV-Gruppe
Ferdinand-Jühlke-Str. 7
99095 Erfurt